Bébé
mode d'emploi

Photographies : OPTION PHOTO
Stylisme: Rosalie

Mise en pages : Olivier Lauga
Édition : Aline Sibony-Ismaïl
Avec la collaboration de Anne-Laure Couvreur

Claire Pinson
Dr Marc Sznajder

Bébé
mode d'emploi

• MARABOUT •

sommaire

nourrir votre bébé

L'ALLAITEMENT MATERNEL

PRATIQUE, PEU COÛTEUX ET HYGIÉNIQUE, L'ALLAITEMENT MATERNEL EST CONSEILLÉ PAR LES PROFES-
SIONNELS DE LA PETITE ENFANCE. EN EFFET, LE LAIT MATERNEL EST LE MEILLEUR QUE VOTRE ENFANT
PUISSE RECEVOIR. TOUTEFOIS, IL EST RECOMMANDÉ AUX MAMANS RÉTICENTES DE NE PAS SE FORCER :
MIEUX VAUT UN ALLAITEMENT AU BIBERON RÉUSSI QU'UN ALLAITEMENT MATERNEL DÉSASTREUX.

PRÉPAREZ-VOUS

Commencez par vous laver les mains.
Nettoyez aussi le bout de vos seins afin d'éliminer les germes qui pourraient contaminer
votre bébé. Utilisez une compresse stérile et
non pelucheuse imprégnée d'eau bouillie ou
de sérum physiologique et passez-la plusieurs
fois sur le mamelon et l'aréole. N'utilisez ni
savon ni lait de toilette pour ne pas masquer
votre odeur.

INSTALLEZ-VOUS CONFORTABLEMENT

Après avoir ouvert votre chemisier, prenez
votre bébé dans vos bras. Asseyez-vous
confortablement, le dos en appui sur un
dossier ou sur des oreillers, de manière à ce
que vous puissiez tenir sur la durée. Placez
éventuellement un coussin ou un oreiller sur
vos genoux pour que votre bébé soit bien
installé et pour y faire reposer votre avant-
bras. Créer une atmosphère calme, où vous
allez pouvoir prendre votre temps, permettra
de réussir votre allaitement.

METTEZ VOTRE BÉBÉ AU SEIN

Placez votre bébé en position demi-assise, la
tête orientée vers votre sein, mais pas trop
tordue. Faites reposer sa tête sur votre bras,
en la maintenant du creux du coude. Il se
sentira soutenu et sa tête ne risquera pas de
rouler sur le côté. Caressez doucement la
bouche de votre enfant de votre index, puis
avancez votre sein en le maintenant entre le
pouce (au-dessus de l'aréole) et les autres
doigts (en dessous). Présentez-lui l'aréole,
qu'il doit saisir entièrement.

VEILLEZ À CE QUE TOUT SE PASSE BIEN

Tout au long de la tétée, le bébé doit garder
la totalité de l'aréole dans la bouche. Son nez
doit être bien dégagé pour permettre une
respiration ample et satisfaisante (si votre
bébé a le nez « encombré », pensez à procéder à un lavage nasal au sérum physiologique
au préalable, cf. p. 92). Au besoin, appuyez
sur la partie supérieure de votre sein, juste au-
dessus de l'aréole, afin de dégager son nez.
S'il transpire, découvrez-le un peu : la tétée
demande un effort important, il peut avoir
trop chaud et être mal à l'aise. À vous de
veiller à son bien-être.

> ### Allaitement et médicaments

La prise de certains médicaments est contre-
indiquée en cas d'allaitement : cela concerne la
plupart des antidépresseurs, tranquillisants, certains antibiotiques... Ne prenez jamais de
médicaments, même s'ils vous paraissent ano-
dins, sans en parler à votre médecin.

> ### À heures fixes ou à la demande ?

S'il est vrai qu'une régularité dans les repas est importante, il vaut toujours mieux apprendre à connaître
le rythme de son bébé. Il est inutile de forcer un bébé
à manger (sauf pour les bébés de faible poids à la
naissance) ou de le laisser hurler de faim.

VOTRE BÉBÉ TÈTE

Laissez votre enfant téter tout son saoul, sans toutefois dépasser une durée de 20 minutes par sein **(1)**. Il faut savoir qu'après 5 minutes de tétée, il a, en principe, absorbé les 4/5e de sa ration. S'il reste au sein au-delà de ces 40 minutes, cela peut être dû à une lactation insuffisante (il convient alors de vérifier la prise de poids de votre bébé, surtout s'il est agité entre les tétées, et de consulter votre pédiatre pour prendre les mesures nécessaires). Il se peut également que son besoin de succion soit important. Si votre bébé ne boit pas beaucoup, les tétées risquent d'être plus rapprochées ; dans ce cas, ne vous inquiétez pas de son petit appétit : un bébé au sein boit toujours la quantité de lait dont il a besoin.

FAITES UNE PAUSE

Votre bébé a fini de boire au premier sein. Pour lui faire lâcher l'aréole, vous pouvez appuyer doucement avec vos doigts sur le haut de votre sein. Placez un petit linge sur votre épaule et redressez votre bébé contre vous afin qu'il fasse éventuellement un rot **(2)** avant qu'il ne poursuive sa tétée à l'autre sein.

CHANGEZ DE SEIN

Il est en effet préférable de le nourrir aux deux seins à chaque fois (mais après avoir vidé le premier) ; cela stimule la lactation, évite l'engorgement des seins et permet de conserver l'harmonie de votre poitrine. Si vous avez débuté la tétée par le sein droit, présentez le sein gauche en premier lors de la tétée suivante. Pour vous rappeler à quel sein vous avez débuté la tétée, vous pouvez accrocher un repère – par exemple un ruban – à la bretelle de votre soutien-gorge. Placez votre bébé devant l'autre sein **(3)** et laissez-le saisir l'aréole, comme il l'a fait avec le premier sein.

LA TÉTÉE SE POURSUIT

Laissez votre bébé téter à sa guise ; néanmoins votre enfant sera, normalement, plus vite rassasié qu'il ne l'a été pour le premier sein. Il se peut qu'il s'endorme sur votre sein, en tétant. Dans ce cas, dégagez doucement sa bouche en appuyant sur le haut de votre sein, puis mettez-le en position debout, contre vous, pour qu'il évacue l'air qu'il a avalé. Ne faites toutefois pas du rot une obsession. Un bébé au sein avale moins d'air qu'un bébé au biberon : si après dix minutes il ne se passe toujours rien, vous pourrez recoucher votre bébé sans crainte.

VOTRE BÉBÉ EST REPU

Votre enfant a suffisamment bu. Profitez de cet instant privilégié pour échanger de gros câlins. Blotti contre vous, il profitera de votre chaleur et de votre douceur. Et réciproquement !

> ## L'engorgement des seins

Juste après l'accouchement, la glande mammaire sécrète du colostrum, substance riche en protéines et anticorps et adaptée à la nutrition du bébé durant les premiers jours. La montée de lait a lieu vers le 4e jour suivant la mise au sein, qui doit avoir été la plus précoce possible (environ 3 heures après la naissance de votre bébé). Les seins durcissent, gonflent et sont légèrement douloureux. Une fièvre modérée peut survenir. Si vos seins sont trop tendus, votre bébé pourra éprouver des difficultés à en saisir l'aréole. Il vous faudra les assouplir (cf. « Si vos seins sont engorgés », p. 16) ou les vider (cf. « Si vous recueillez votre lait à la main », p. 18). Après quelques jours d'allaitement, le système de lactation se régularise et ces problèmes tendent à disparaître.

> Le sevrage

Pour préparer votre enfant à cette étape importante, quelques règles sont de mise : votre bébé acceptera d'autant plus facilement de passer à un autre mode de nourriture.

• Prenez le temps d'habituer votre bébé à son nouveau mode de nourriture.

• Si votre enfant refuse catégoriquement le biberon, commencez par le nourrir au sein puis, au cours de la tétée, proposez-lui le biberon afin qu'il évite de faire l'amalgame « biberon = privation du sein ». Pensez à recueillir votre lait (cf. p. 18) pour le mettre dans le biberon que vous lui donnez : le changement se fera ainsi en douceur.

• Si vous sentez que vous donnez le biberon à contrecœur, chargez le papa ou quelqu'un d'autre de cette tâche, et éclipsez-vous. Cela évitera à votre bébé de sentir vos appréhensions et de se détourner ainsi du biberon.

ALLAITER ALLONGÉE

Rien de plus naturel que de donner ainsi le sein... que ce soit lors des tétées de la nuit, ou bien que vous ayez à rester allongée, notamment après une césarienne ou en cas d'épisiotomie douloureuse.

PRÉPAREZ-VOUS

Placez tout ce dont vous aurez besoin (sérum physiologique, compresse, bavoir ou couche en tissu pour le bébé) à votre portée. Installez-vous confortablement sur le flanc et nettoyez votre mamelon à l'aide d'une compresse imprégnée de sérum physiologique.

LA BONNE POSITION POUR VOUS...

L'une des positions les plus confortables est de rester allongée sur le côté, en chien de fusil, la tête en appui sur votre bras plié, le coude reposant sur le matelas ou sur le canapé. Pour éviter la fatigue au niveau du poignet, vous pouvez alternativement appuyer votre tête sur votre main ouverte en éventail, légèrement en extension, ou sur votre poing fermé et en semi-flexion (1). Vous pouvez aussi vous allonger complètement : sur le côté, votre bras reposant sur le matelas ou sur le canapé dans le prolongement de votre corps, ou replié de manière à faire reposer votre tête dessus (2).

> Faut-il changer votre bébé avant ou après la tétée ?

La logique voudrait que l'on change un bébé après la tétée, car c'est souvent quand il a le ventre plein qu'il évacue ses selles. Toutefois, il est possible que votre bébé s'endorme en tétant et que vous n'ayez pas le cœur de le réveiller. Vous pouvez dans ce cas le laisser récupérer une dizaine de minutes, puis le faire roter et le changer tout en douceur... pour le recoucher afin qu'il termine confortablement sa sieste.

... ET POUR VOTRE BÉBÉ

Allongez votre bébé sur le côté contre vous, le visage à la hauteur de votre sein, et présentez-lui votre aréole en veillant à ce qu'il en prenne la totalité dans sa bouche. Soutenez-le en glissant une main derrière son dos afin qu'il ne roule pas sur le côté. Son nez doit être bien dégagé pour qu'il puisse respirer sans contrainte : veillez à ce que votre sein n'obstrue pas ses narines ; dans le cas contraire, dégagez son nez en appuyant de votre doigt sur la partie supérieure de votre sein. Pour rassurer votre bébé et prolonger le contact, vous pouvez lui caresser doucement le dos de bas en haut et de haut en bas, ou en mouvement circulaire, il ne pourra qu'apprécier !

FAITES UNE PAUSE

Une fois que votre bébé a bien bu au premier sein, asseyez-vous, le dos bien droit, calé par des oreillers ou des coussins. Prenez votre enfant contre vous, sa tête à la hauteur de votre épaule, et tapotez doucement son dos de manière à ce qu'il évacue l'air qu'il a avalé. Gardez-le un moment contre vous s'il ne vous semble pas affamé (le moment de la tétée est aussi celui des câlins !). Dans le cas contraire, donnez-lui tout de suite l'autre sein.

CHANGEZ DE CÔTÉ

Tournez-vous de l'autre côté afin de présenter à votre enfant l'autre sein. Si votre bébé s'endort, vous pouvez le stimuler en lui caressant doucement la tête, la joue ou le dos. Une fois qu'il a terminé, asseyez-vous à nouveau et faites-lui encore faire un rot.

PRENDRE SOIN DE VOS SEINS

POUR ALLAITER VOTRE BÉBÉ EN TOUTE SÉRÉNITÉ, IL EST INDISPENSABLE DE PRENDRE SOIN DE VOS SEINS. ET EN CAS DE PETIT SOUCI, APPRENEZ LE GESTE QUI VOUS PERMETTRA DE LES SOULAGER.

SÉCHEZ BIEN LES BOUTS DE VOS SEINS

Pour éviter crevasses et dessèchement, il est indispensable, après chaque tétée, de nettoyer vos bouts de seins à l'aide d'une compresse imprégnée d'eau bouillie ou de sérum physiologique puis de bien les sécher. Utilisez pour cela une compresse sèche différente pour chaque sein. Attention à ne pas laisser votre bébé trop longtemps au sein, car la succion prolongée a tendance à favoriser l'apparition de gerçures.

LES COUSSINETS D'ALLAITEMENT

Pour protéger le bout de vos seins, vous pouvez placer dans les bonnets de votre soutien-gorge des coussinets d'allaitement, qui éviteront le frottement du tissu sur le mamelon. Pour des raisons évidentes d'hygiène, changez-les entre deux tétées et pensez à laver votre soutien-gorge tous les jours avec une lessive hypoallergénique.

LES COQUILLES D'ALLAITEMENT

Il est fréquent d'avoir de petits écoulements de lait entre deux tétées. S'ils deviennent importants et traversent les coussinets et les vêtements, utilisez des coquilles d'allaitement, petits réservoirs en silicone souple percés d'un trou qui recueillent le lait. Il est toutefois déconseillé de les porter en permanence, car elles maintiennent le mamelon dans une atmosphère humide, ce qui favorise le développement de bactéries et de crevasses.

SOULAGEZ LES MAMELONS IRRITÉS

Les mamelons peuvent être irrités pour plusieurs raisons : votre bébé tète longuement ou fréquemment, ou encore ne prend que le mamelon plutôt que toute l'aréole. Pour les soulager, massez-les après chaque tétée avec un peu de lait ou de colostrum. Si une crevasse est déjà apparue, massez mamelons et aréoles avec un peu de vaseline. Un protège mamelon en silicone vous permettra de continuer d'allaiter. Votre bébé ne prendra pas directement votre sein dans sa bouche. Résultat : la tétée ne sera plus douloureuse et vos crevasses guériront. En cas de crevasse importante, on peut mettre le sein irrité au repos pour quelques heures, en le vidant manuellement (cf. p. 16)

MASSEZ VOS SEINS MATIN ET SOIR

Pour que vos seins restent souples et pour éviter l'apparition de vergetures, dues à l'augmentation de leur volume, massez-les avec de l'huile d'amande douce, par des mouvements doux et circulaires (1) (2). Même si ce produit est sans danger pour votre bébé, nettoyez bien le bout de vos seins avant la tétée.

SI VOS SEINS SONT ENGORGÉS

Vous pouvez les soulager en retirant l'excédent de lait : après y avoir posé, afin de les ramollir, une serviette imprégnée d'eau chaude pendant quelques minutes, appuyez doucement sur vos seins afin de faire jaillir le lait (cf. p. 16), soit dans un récipient stérile si vous souhaitez le conserver, soit directement au-dessus du lavabo. Ainsi, vos seins vont s'assouplir, et votre bébé pourra saisir plus facilement l'aréole.

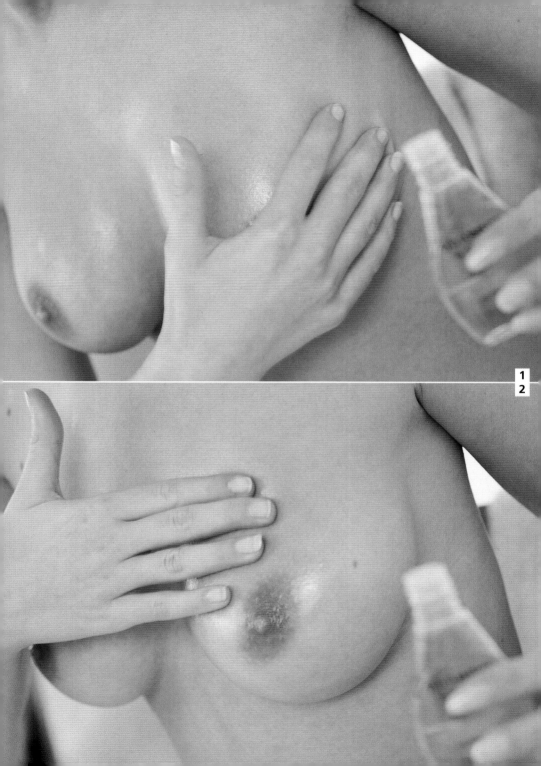

1
2

RECUEILLIR VOTRE LAIT

SI VOUS DEVEZ VOUS ABSENTER AU MOMENT D'UNE TÉTÉE, OU SI VOUS SOUHAITEZ QUE VOTRE PARTENAIRE VOUS RELAYE LA NUIT, VOUS POUVEZ TIRER VOTRE LAIT MANUELLEMENT OU À L'AIDE D'UN TIRE-LAIT.

PRÉPAREZ-VOUS

Les bactéries se développent très rapidement dans le lait, il est donc important que vos mains ainsi que vos ongles soient parfaitement propres. Stérilisez le récipient dans lequel vous allez recueillir votre lait ainsi que les biberons de stockage. Si vous utilisez un tire-lait électrique, qui ne peut être stérilisé (hormis la téterelle), pensez à le nettoyer scrupuleusement. Placez une serviette de toilette imprégnée d'eau chaude sur vos seins s'ils sont durs ou congestionnés. Nettoyez soigneusement vos aréoles et vos mamelons à l'aide d'une compresse stérile non pelucheuse imprégnée de sérum physiologique ou d'eau bouillie. Séchez soigneusement vos seins à l'aide d'une autre compresse stérile.

MASSEZ VOS SEINS

Pour préparer vos seins à l'extraction, massez-les doucement, à mains nues, en mouvements circulaires (cf. p. 14 « Massez vos seins matin et soir »). Plus vos seins seront assouplis, plus le lait aura de facilité à sortir. Préparez votre mamelon en le pinçant doucement pour qu'il forme saillie. Si vous voulez faciliter cette opération, effectuez-la pendant que votre bébé tète : le lait sortira très facilement.

RECUEILLEZ VOTRE LAIT À LA MAIN

Placez vos mains en couronne sur la base de votre sein. Les pouces viennent en appui sur le haut du sein, tandis que les huit autres doigts maintiennent la partie inférieure du sein (cf. p. 14). Pressez plusieurs fois, en cadence, en faisant glisser vos doigts vers le bout du sein jusqu'à ce que le lait jaillisse **(1)**.

Placez soigneusement le récipient sous le mamelon, afin de ne pas en perdre une goutte ! Quand votre premier sein a été « vidé », c'est-à-dire quand le lait ne s'écoule plus malgré vos pressions répétées et qu'il est très souple, passez à l'autre sein en procédant de la même façon. Versez le lait recueilli dans un biberon stérile.

SI VOUS UTILISEZ UN TIRE-LAIT

Détendez-vous et installez-vous confortablement dans un fauteuil. Saisissez le tire-lait et placez hermétiquement la téterelle autour du mamelon, sur l'aréole **(2)**. Actionnez alors l'appareil en manipulant le piston ou la pompe : le lait commence à couler dans le récipient. Si l'opération est douloureuse, interrompez-la quelques instants, changez le positionnement du tire-lait ou variez votre position. Si votre tire-lait électrique **(3)** est un modèle à cadence manuelle, c'est-à-dire dont la dépression est commandée en durée et puissance par l'utilisateur, procédez aux réglages, puis actionnez l'interrupteur : vous n'avez plus rien à faire… Vous pouvez interrompre l'opération quelques instants pour modifier le réglage, notamment en fin d'extraction, où le lait est plus rare : la forte cadence du début n'est plus nécessaire et peut même devenir douloureuse.

CONSERVEZ VOTRE LAIT

Il se conserve 24 heures au réfrigérateur et plusieurs semaines au congélateur, à condition de le placer au frais juste après l'extraction. Nettoyez aussitôt tout le matériel et stérilisez le tout si nécessaire.

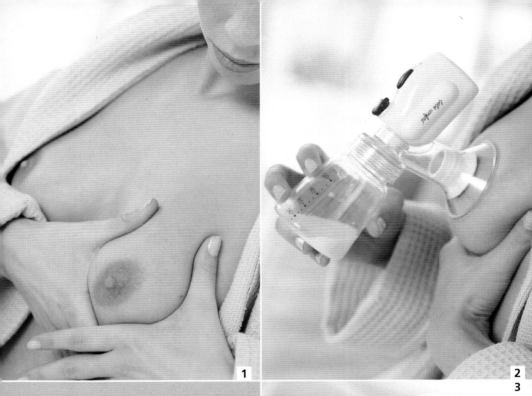

1

2
3

> Quelle quantité de lait tirer ?

Tout dépend du stock que vous comptez consti-
tuer : si vous souhaitez avoir un à deux biberons
d'avance, au cas où vous devez vous absenter de
manière imprévue, vous n'aurez pas à tirer votre
lait tous les jours. Si vous comptez faire du stock
pour que votre enfant reste au lait maternel, même
après votre congé de maternité, vous devrez tirer
votre lait tous les jours, deux à trois fois par jour,
en plus des tétées. Il faudra augmenter progressivement les doses tirées afin de ne pas bouleverser
la production et le rythme de votre allaitement. En
deux ou trois jours, la production de lait s'adaptera,
et vous pourrez tirer environ 500 ml par jour, en
plus des tétées.

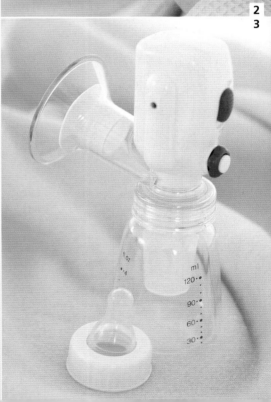

PRÉPARER LE BIBERON

PRÉPARER UN BIBERON EST TRÈS FACILE : IL VOUS SUFFIT DE CONNAÎTRE QUELQUES TRUCS POUR QUE TOUT SOIT PRÊT EN UN RIEN DE TEMPS. VOTRE BÉBÉ N'AURA PLUS À ATTENDRE ! D'AUTANT QUE VOUS POURREZ PRÉPARER PLUSIEURS BIBERONS D'AVANCE (POUR LA NUIT OU POUR LE PAPA !), À CONDITION, BIEN ENTENDU, DE LES CONSERVER AU RÉFRIGÉRATEUR.

PRÉPAREZ LE MATÉRIEL

Avant de commencer les opérations, veillez à vous laver soigneusement les mains ; essuyez-les sur un torchon non pelucheux. Préparez tout le matériel dont vous avez besoin : bibe-ron, bague de serrage, tétine, bouchon, eau minérale (cf. ci-contre), boîte de lait, mesu-rette. Posez le tout sur une surface propre.

REMPLISSEZ LE BIBERON D'EAU

Versez la quantité d'eau nécessaire – en suivant les indications du médecin – dans le biberon **(1)**, en le plaçant devant vos yeux pour éviter les erreurs de parallaxe, ou vérifiez après avoir versé l'eau en amenant le biberon à la hauteur de vos yeux, que la quantité est correcte. En effet, un lait trop ou pas assez concentré peut poser des problèmes de digestion.

> ### Les aliments lactés infantiles

Leur utilisation est recommandée durant au moins les 9 premiers mois, voire la première année. La plupart des laits 1er âge (« préparation pour nour-risson », jusqu'au 5e mois) et 2e âge (« lait de suite », de 5 à 12 mois) sont élaborés à partir de lait de vache, mais leur composition se rapproche aujour-d'hui beaucoup de celle du lait maternel. Ils appor-tent tous les éléments nécessaires au bon déve-loppement de votre bébé, à l'exception bien sûr des anticorps. Devant les multiples choix qui vous seront proposés, vous ne saurez certainement pas quel lait choisir. Le personnel de la maternité ou le pédiatre sauront vous conseiller.

AJOUTEZ LA POUDRE DE LAIT

On compte généralement une mesurette pour 30 g d'eau. Remplissez la mesurette de manière à former un petit monticule. À l'aide du côté plat de la lame d'un couteau propre, arasez-la en faisant retomber l'excédent de poudre dans sa boîte **(2)**. Attention à ne pas tasser le contenu de la mesurette ; une mauvaise dilution ou une trop grande concentration de lait en poudre modifient la qualité du contenu du biberon, ce qui peut une fois encore entraîner des troubles diges-tifs. Versez le contenu de chaque mesurette dans l'eau **(3)**. Pour éviter de répandre de la poudre de lait à côté, effectuez un geste sec et franc. Replacez la mesurette dans la boîte de lait que vous refermerez hermétiquement.

FERMEZ ET MÉLANGEZ LE BIBERON

Emboîtez la tétine de biberon sur la bague de serrage, vissez l'ensemble sur le biberon et fermez avec le bouchon **(4)**. Pour bien mélan-ger, faites rouler le biberon entre vos mains, ce qui évite que de la poudre mal dissoute ne vienne obstruer le biberon. Vous pouvez égale-ment refermer l'opercule et la bague de serrage et secouer ensuite le biberon de haut en bas.

> ### Quelle eau choisir ?

Adoptez une eau peu minéralisée ou une eau de source. La mention « convient à l'alimentation des nourrissons » doit figurer sur la bouteille. Si vous man-quez d'eau minérale, faites bouillir de l'eau du robi-net durant 25 minutes. N'utilisez jamais d'eau prove-nant d'un robinet branché sur un adoucisseur d'eau ou un filtre susceptible de propager des bactéries.

1

2

3

4

FAITES CHAUFFER LE BIBERON

Placez le biberon dans un chauffe-biberon, réglez la température pour qu'elle ne dépasse pas 38 °C **(1)**. Si votre bébé s'impatiente, prenez-le dans les bras, promenez-le, distrayez-le. Laissez chauffer jusqu'à extinction du voyant. Laissez le chauffe-biberon allumé au cas où vous auriez besoin de faire réchauffer le biberon. Votre bébé aura parfois besoin de faire une pause ! Sachez toutefois qu'un biberon chauffé ne se conserve pas plus d'une demi-heure.

VÉRIFIEZ LA TEMPÉRATURE

Pour éviter les incidents et autres brûlures de la langue ou de l'œsophage, vérifiez TOUJOURS la température du lait en en versant quelques gouttes sur la face interne du poignet, là où la peau est fine et sensible. Afin que le lait ne jaillisse pas, mélangez encore le contenu du biberon en le faisant rouler entre vos mains **(2)**, puis penchez la tétine vers votre poignet : le lait s'écoule doucement **(3)**. Dans le cas contraire, ne pressez pas la tétine avec vos doigts, mais mélangez encore le biberon ou secouez-le doucement au-dessus de votre poignet. Si le lait se révèle être trop chaud, passez le biberon sous le robinet d'eau froide pendant quelques minutes et vérifiez de nouveau la température.

> ### Le biberon à température ambiante

Certains bébés acceptent un lait à température ambiante, ce qui se révèle fort pratique si vous êtes en sortie ou si votre bébé a trop faim pour attendre ! Sachez toutefois qu'il est moins digest que le lait chaud…

NETTOYEZ LE BIBERON

Après avoir donné son biberon à votre bébé et l'avoir aider à faire son rot (cf. p. 22 à 24), procédez au nettoyage du biberon et de ses accessoires, à l'eau chaude et savonneuse, à l'aide des petites brosses et goupillons prévus pour atteindre tous les recoins. Rincez abondamment. Essuyez le tout soigneusement avec un chiffon propre ou de l'essuie-tout, et réservez dans un endroit sec et sain, ou disposez-le immédiatement dans le stérilisateur. Ne gardez surtout pas le reste d'un biberon d'un repas à l'autre (un biberon non terminé peut être bu dans la demi-heure qui suit, pas davantage).

> ### Faire chauffer un biberon au four à micro-ondes

La plupart des biberons peuvent être chauffés au micro-ondes (vérifiez toutefois sur la notice d'emploi). Faites chauffer brièvement le biberon ouvert plein de lait sans accessoires, en utilisant une puissance moyenne pour éviter que le lait ne soit trop chaud. Après avoir retiré le biberon du four, replacez bague de serrage et tétine et mélangez de nouveau le lait. Vous pouvez aussi faire chauffer l'eau d'abord, puis ajouter la poudre de lait, ce qui permet souvent une meilleure dissolution de la poudre. Prenez toujours soin de vérifier la température du lait avant de donner le biberon à votre bébé (il peut y avoir une grande différence entre la température du contenant et celle du contenu…).

1

2

3

> Décongeler du lait tiré du sein

Pour décongeler votre lait, il est recommandé de ne pas utiliser de four à micro-ondes. Le contenant peut être froid et le lait trop chaud : votre bébé se brûlerait en buvant. L'idéal est de décongeler son lait au bain-marie, dans une casserole. La température du lait ne doit jamais dépasser 37 °C : une température plus élevée tuerait les anticorps contenus naturellement dans votre lait, et le liquide serait trop chaud pour l'œsophage de votre bébé. Elle ne doit pas être non plus inférieure à 32 °C afin que tous les composants du lait puissent se mélanger harmonieusement à nouveau.

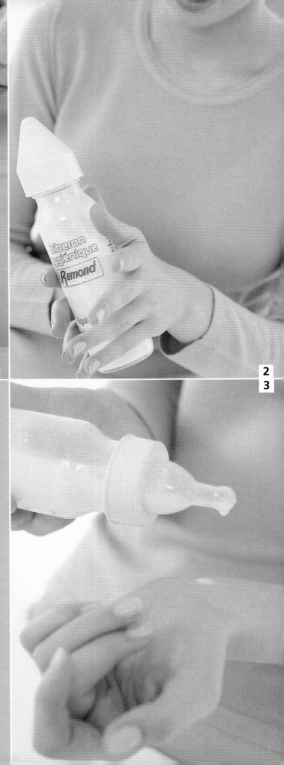

DONNER LE BIBERON

POUR DONNER LE BIBERON CONFORTABLEMENT, TOUT EST QUESTION DE POSTURE... POUR VOUS COMME POUR VOTRE BÉBÉ ! ALORS AVANT DE COMMENCER, VEILLEZ À ÊTRE TOUS DEUX BIEN INSTALLÉS. POUR LA SUITE, PRENEZ VOTRE TEMPS ET APPRÉCIEZ CE MOMENT PRIVILÉGIÉ.

INSTALLEZ-VOUS CONFORTABLEMENT

Prenez votre enfant dans les bras et attachez un bavoir autour de son cou ; installez-vous confortablement sur un fauteuil. La tête de votre enfant doit être bien calée dans le creux du bras, et votre bras bien soutenu. Choisissez un fauteuil avec accoudoirs, ou installez un coussin ou un oreiller sous le bras où reposera la tête de votre bébé. Votre bébé dans vos bras ne doit pas être tout à fait allongé, redressez-le légèrement pour que sa tête soit plus haute que ses pieds.

CARESSEZ SES LÈVRES AVEC LA TÉTINE

Saisissez le biberon, secouez-le légèrement d'une main, de droite à gauche pour que le lait ne gicle pas. Testez à nouveau la température du biberon en versant quelques gouttes de lait sur la face interne de votre poignet. Approchez doucement la tétine de la bouche de votre enfant **(1)**. Caressez ses lèvres avec la tétine. En général, votre bébé ne se fait pas prier pour ouvrir la bouche. Et il commence parfois même à téter avant que la tétine soit arrivée dans sa bouche... **(2)**

TROUVEZ LA BONNE VITESSE...

Réglez le débit de la tétine en fonction de son appétit (les indicateurs de débit, générale-ment numérotés de 1 à 3 ou de I à III, se trou-vent à la base de la tétine). S'il est affamé, la « grande vitesse » lui conviendra sans doute, mais faites attention à ce que le lait ne coule pas trop vite, ce qui risque de provoquer une fausse route ! En fin de tétée, votre bébé préférera peut-être un débit plus lent.

... ET LA BONNE INCLINAISON

Au fil de la tétée, vous verrez que votre bébé tète plus ou moins bien **(3)**. Vous aurez alors peut-être à le redresser afin qu'il se sente plus à l'aise ou, au contraire, à l'allonger davan-tage, s'il a envie de se sentir comme un pacha, blotti contre vous. Les enfants qui ont de petits problèmes de digestion apprécient généralement ces changements de position. D'autre part, veillez à vérifier que vous incli-nez suffisamment le biberon et que votre bébé n'avale pas l'air resté au fond (le lait fait alors des bulles et la tétine se pince) : cela pourrait provoquer des soucis de digestion.

FAITES UNE PETITE PAUSE

Il se peut que votre bébé se mette à pleurer en cours de tétée, se tortille, rejette le bibe-ron. Pas de panique ! Posez le biberon, tenez votre bébé bien dressé contre vous, la tête sur votre épaule (sur laquelle vous aurez disposé un lange ou un bavoir), afin qu'il fasse un petit rot ; il peut même avoir une légère régurgitation, parce qu'il a mangé trop vite ou avalé de l'air. Une fois qu'il est apaisé, représentez-lui son biberon.

VOTRE BÉBÉ A TERMINÉ SON BIBERON

Les yeux mi-clos, concentré sur le plaisir d'être tout contre vous, votre bébé a fini de boire son lait, mais il continue à le téter... vide ! Afin qu'il ne se remplisse pas le ventre d'air, retirez doucement la tétine en glissant votre petit doigt jusqu'à la commissure de ses lèvres : il lâchera alors la tétine **(4)**. Votre bébé est allongé dans vos bras. Mettez ce moment à profit pour lui faire un câlin...

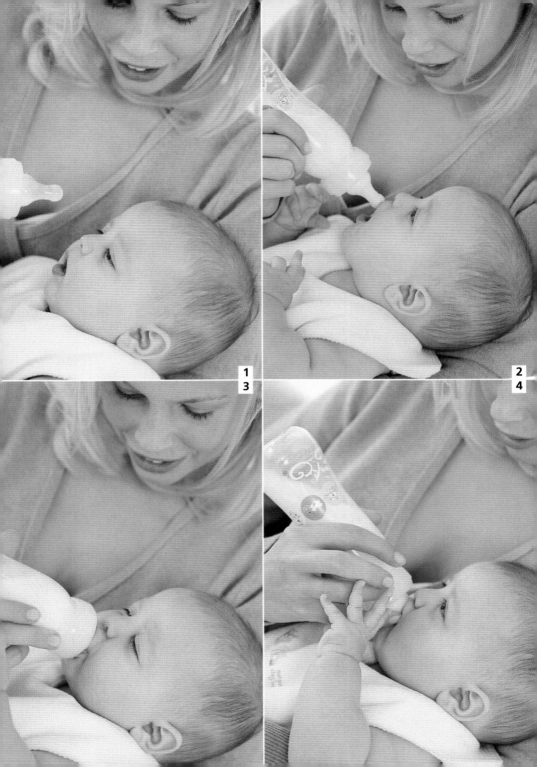

AIDER VOTRE BÉBÉ À FAIRE SON ROT

LE ROT EST UN RÉFLEXE DIGESTIF QUI CORRESPOND À UN REJET D'AIR PAR LE BÉBÉ, PARFOIS ACCOMPAGNÉ D'UN LÉGER RENVOI DE LAIT. CET AIR A GÉNÉRALEMENT ÉTÉ AVALÉ AVEC LE LAIT EN COURS DE TÉTÉE, PEU PAR LES BÉBÉS NOURRIS AU SEIN, DAVANTAGE PAR LES BÉBÉS AU BIBERON.

EN POSITION ASSISE...

Après ce moment d'abandon qu'est la tétée, votre bébé a besoin de se réveiller un peu... ne serait-ce que pour l'heure du change ! Asseyez-le sur vos genoux, à califourchon sur votre cuisse, ou ses deux jambes tournées vers l'extérieur. D'une main ferme et ouverte, soutenez sa poitrine. De l'autre tapotez et frictionnez son dos de manière à l'aider à faire son rot **(1)**.

... OU CONTRE L'ÉPAULE

La position la plus classique, parce qu'elle est aussi la plus efficace, est de maintenir votre bébé debout contre vous, sa poitrine contre votre poitrine, sa tête reposant doucement sur votre épaule, sur laquelle vous aurez posé un bavoir ou le linge de votre choix **(2)**. Le rot ne manquera pas de se faire entendre...

FAITES UN PETIT TOUR...

Si le rot n'arrive pas, positionnez votre bébé dans vos bras, debout contre votre épaule, et marchez de long en large dans la pièce. Le mouvement rassurant et le balancement saccadé auront raison de son trop-plein d'air : il fera entendre un rot dans les plus brefs délais !

... OU ALLONGEZ VOTRE BÉBÉ

Rien n'y fait ? Allongez votre bébé en travers de vos cuisses : toute sa poitrine doit reposer sur vos deux cuisses. D'une main, massez-lui le dos, tandis que de l'autre vous lui caressez la tête **(3)**.

> **Faut-il insister pour que votre bébé finisse son biberon ?**

L'appétit de votre bébé varie d'un jour à l'autre ; il ne faut pas s'en inquiéter car il connaît les besoins de son corps. C'est pourquoi il ne faut jamais le forcer à terminer son biberon. Quand il lâche la tétine, placez-le debout contre lui pour qu'il évacue l'air que contient son petit estomac, puis proposez à nouveau la tétine. S'il refuse, n'insistez pas. Toutefois, si votre enfant ne prend pas de poids ou maigrit, il conviendra de consulter pour déterminer la raison de ce trouble.

> **Les régurgitations**

Il n'est pas rare que les bébés rejettent un peu de lait absorbé lors de la prise du biberon. Il ne faut pas s'en inquiéter, il s'agit d'un « trop-plein » dont ils se débarrassent. En revanche, si les régurgitations sont abondantes, systématiques et se produisent plusieurs fois après chaque repas – parfois plus d'une heure après –, parlez-en à votre médecin, qui vous prescrira un traitement adapté.

STÉRILISER LES BIBERONS

LES PROFESSIONNELS DE LA PETITE ENFANCE CONSEILLENT DE STÉRILISER LES BIBERONS ET TOUS LEURS ACCESSOIRES JUSQU'À CE QUE LE BÉBÉ AIT 6 MOIS RÉVOLUS. LE LAIT TIÈDE EST TRÈS PRISÉ PAR LES BACTÉRIES, QUI ADORENT S'Y DÉVELOPPER. RAISON DE PLUS POUR JETER RAPIDEMENT LES FONDS DE BIBERONS ET LES LAVER AVEC GRANDE ATTENTION.

UNE HYGIÈNE IRRÉPROCHABLE

Pour que la stérilisation soit parfaitement réussie, il faut d'abord se laver soigneusement les mains afin d'éviter la contamination des biberons et de leurs accessoires par des germes. Brossez-vous bien les ongles et essuyez vos mains sur un torchon propre ou du papier absorbant type essuie-tout.

LAVEZ LES BIBERONS DÉJÀ RINCÉS

Chaque fois que votre bébé termine un biberon, rincez-le une première fois grossièrement. Plus tard, lavez-le avec ses accessoires de fond en comble, à l'eau additionnée d'un peu de produit à vaisselle et à l'aide de goupillons adaptés, avant de le mettre dans le stérilisateur **(1)**. Pour que la stérilisation soit parfaitement réussie, il ne doit pas rester la moindre trace de lait sur la tétine, la bague de serrage ou sur le biberon lui-même. Vérifiez bien les pas de vis. Pensez à désinfecter régulièrement les goupillons, sinon ils risquent de devenir des nids à bactéries.

RINCEZ LES BIBERONS À L'EAU CLAIRE

Quand les biberons sont parfaitement nettoyés, rincez-les longuement ainsi que les tétines, bagues de serrage et capuchons protecteurs, afin de les débarrasser de toute trace de liquide vaisselle. Disposez-les sur un torchon propre ou sur du papier absorbant. Égouttez-les bien.

LA STÉRILISATION À CHAUD

La plupart des stérilisateurs à chaud sont des appareils électriques – plus rarement des modèles à faire chauffer sur le feu – qui utilisent la vapeur comme moyen de stérilisation.

INSTALLEZ LES BIBERONS...

Installez dans le stérilisateur les biberons soigneusement lavés, rincés et égouttés, en suivant les instructions du fabricant **(2)**. Il faut généralement les installer à l'envers, dans le panier à stérilisation. Installez ce panier dans le stérilisateur.

... PUIS LES ACCESSOIRES

Placez ensuite dans le compartiment prévu à cet effet tous les accessoires : bagues de serrage, tétines, capuchons des biberons... eux aussi parfaitement lavés et rincés. Évitez d'empiler tétines ou capuchons, toutes les parties de chaque accessoire doivent être libres pour une bonne stérilisation **(3)**.

VERSEZ L'EAU

Versez ensuite l'eau dans le stérilisateur **(4)**. La quantité d'eau requise dépend des modèles. Pour cette opération, vous pouvez utiliser de l'eau du robinet. La stérilisation tuera les germes éventuels.

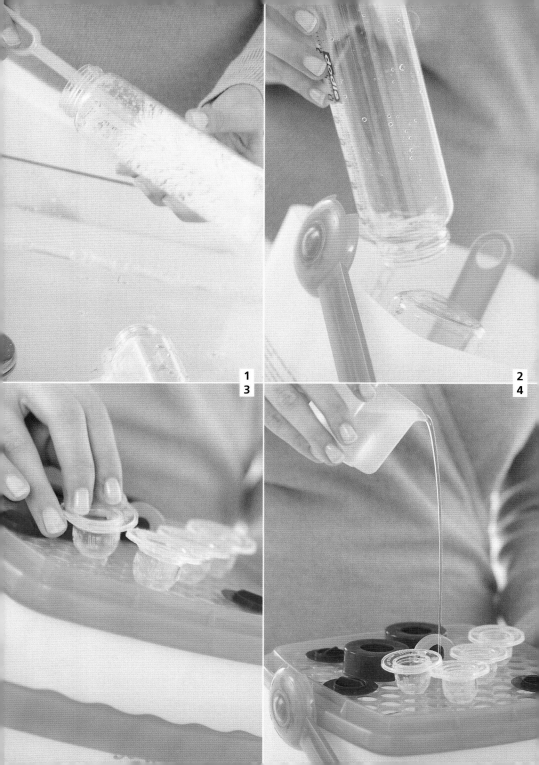

1
2
3
4

METTEZ LE STÉRILISATEUR EN MARCHE

La durée de la stérilisation varie généralement de 10 à 30 minutes. Si vous vous contentez de faire bouillir vos biberons et accessoires dans une casserole, comptez 20 minutes d'ébullition.

Une fois le temps de stérilisation écoulé, vous pouvez ouvrir le stérilisateur. Faites attention à ne pas vous brûler en manipulant l'appareil et attendez que les biberons refroidissent avant de les saisir. Les biberons stérilisés peuvent être utilisés sans problème dans les 24 heures.

LA STÉRILISATION À FROID

À l'aide d'un biberon ou, plus pratique, d'une bouteille d'eau en plastique vide, versez de l'eau froide dans le bac du stérilisateur, en suivant les instructions du fabricant.

AJOUTEZ LA PASTILLE DE STÉRILISATION

Jetez dans l'eau la pastille ou le liquide de stérilisation, en respectant le dosage indiqué sur la boîte. Si vous révisez les dosages à la baisse, les biberons ne seront pas stérilisés correctement. En revanche, il est inutile de surdoser le produit : respecter les doses prescrites suffit à obtenir une stérilisation satisfaisante.

IMMERGEZ LES BIBERONS

Placez les biberons lavés, rincés et égouttés dans le bac. Vos mains doivent être parfaitement propres. Veillez à ce que les biberons soient totalement immergés et qu'il ne subsiste pas de bulles d'air à l'intérieur. Penchez-les le cas échéant pour évacuer l'air **(1)**.

PLACEZ LES ACCESSOIRES

Disposez bagues de serrage, tétines et capuchons dans le compartiment prévu à cet effet **(2)**. Ils doivent aussi être parfaitement immergés pour une stérilisation en règle. Laissez agir en respectant le temps indiqué par le fabricant. Les biberons ainsi stérilisés resteront aseptisés durant 24 heures.

RINCEZ LES BIBERONS À L'EAU BOUILLIE

Quand vous avez besoin d'un biberon, extrayez-le du bac à l'aide d'une pince ; rincez-le soigneusement avec de l'eau bouillie refroidie ou de l'eau minérale conservée au réfrigérateur.

> La stérilisation au micro-ondes

Certains stérilisateurs sont prévus pour une utilisation au micro-ondes. Biberons et accessoires lavés, rincés et égouttés doivent être placés dans le(s) panier(s) prévu(s) à cet effet, puis le four doit être mis en marche à la puissance et pour la durée indiquées par le fabricant du stérilisateur. Quand le four s'arrête, attendez 5 minutes avant de sortir l'appareil afin de ne pas vous brûler. Replacez les tétines à l'envers sur les biberons, fermez avec la bague de serrage, coiffez le tout d'un capuchon.

Pour réaliser cette opération, lavez-vous soigneusement les mains. Stockez les biberons dans votre réfrigérateur – que vous devez maintenir dans un parfait état de propreté – où ils pourront être conservés 24 heures avant utilisation.

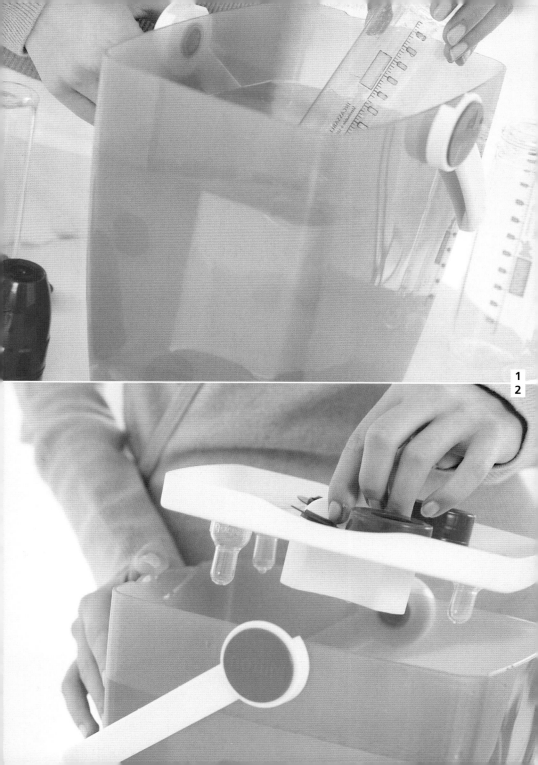

FAIRE MANGER VOTRE BÉBÉ À LA CUILLÈRE

UN SEUL CHANGEMENT À LA FOIS... TELLE EST LA RÈGLE DE BASE DANS L'ÉVOLUTION DE VOTRE ENFANT ! INTRODUISEZ DONC LA CUILLÈRE AU MOMENT OÙ VOTRE BÉBÉ A ASSIMILÉ LA DERNIÈRE NOUVEAUTÉ ; EN GÉNÉRAL, IL EST CONSEILLÉ DE LE FAIRE VERS L'ÂGE DE 5 MOIS.

FAMILIARISEZ-LE AVEC LA CUILLÈRE

Votre bébé doit souvent vous voir avec une petite cuillère, lorsque vous mangez yaourts ou desserts, remuez votre café, ou faites la cuisine. Il connaît déjà cet objet. Vous pouvez faire passer cette nouveauté en proposant à votre enfant la sienne propre, de taille adaptée (cuillère à moka par exemple). Il s'habituera à son utilisation en essayant de se nourrir seul, tandis que vous puiserez dans la même assiette pour lui donner à manger de manière un peu plus efficace. Il deviendra bientôt plus habile.

INSTALLEZ-VOUS

Le meilleur endroit pour un repas à la cuillère est sans aucun doute la cuisine : s'il manipule lui-même la cuillère, votre bébé ne manquera pas de salir le sol, et un carrelage est toujours plus facile à nettoyer qu'un tapis ou de la moquette ! Si la pièce dans laquelle vous êtes n'est pas carrelée, protégez le sol avec une toile cirée. Avant 7 mois, âge à partir duquel votre bébé peut tenir assis un moment sans trop se fatiguer, vous pouvez l'installer dans son transat **(1) (2)**.

PENSEZ AUX ACCESSOIRES

Vous pouvez utiliser un bavoir en plastique se terminant par un réservoir qui recueillera les aliments en « chute libre » (prenez tout de même soin de protéger le cou de votre bébé de toute irritation). Après avoir terminé son plat, il n'est pas rare qu'un bébé fasse lui-même la récolte de ce qui est tombé dedans… Quant à vous, vous pouvez investir dans une blouse, un tablier ou sacrifier une vieille chemise qui protégera vos vêtements.

SI VOTRE BÉBÉ REFUSE LA CUILLÈRE

Il peut être effrayé par la nouveauté ou, bien installé dans le confort que lui procure l'alimentation au biberon ou au sein, avoir du mal à changer ses habitudes. Dans ce cas, attendez quelques jours, voire quelques semaines qu'il soit prêt. Il se peut également que, habitué à avaler son lait d'un trait, il soit déstabilisé par le fait qu'avec la cuillère, on mange par petites quantités, avec de courtes pauses, et s'impatiente. Donnez-lui alors le dessert à la cuillère après le lait au biberon ou au sein. Déjà rassasié, il aura plus de patience.

> ### Plastique ou métal ?

Moins froide, moins lourde et plus colorée que la petite cuillère en métal, la cuillère en plastique plaît aux bébés. Elle vieillit toutefois moins bien que son homologue métallique, qui a l'avantage de permettre à l'enfant d'accéder au statut de « grand » (il utilise le même ustensile que le reste de la famille). À vous de choisir ou d'alterner à votre guise. Il existe également des cuillères à manches anatomiques censés favoriser la prise par les petites mains.

une journée avec votre bébé

LE BAIN

POUR DONNER LE BAIN, CHOISISSEZ UN MOMENT OÙ VOUS ÊTES CALME ET DISPONIBLE. LA PLUPART DES ENFANTS SONT APAISÉS PAR LE BAIN, QUI FAVORISE LEUR ENDORMISSEMENT. LES TRÈS JEUNES BÉBÉS APPRÉCIERONT D'ÊTRE BAIGNÉS DANS LA MATINÉE, AVANT LEUR PREMIÈRE SIESTE. LES PLUS GRANDS POURRONT ATTENDRE LE SOIR.

LAVEZ-VOUS LES MAINS

Pour vous occuper d'un bébé, une hygiène rigoureuse s'impose. Savonnez-vous les mains au savon de Marseille, puis rincez-les et essuyez-les soigneusement avec une serviette propre. Vérifiez la longueur et la netteté de vos ongles. Contrôlez la température de la pièce, qui doit être de 22 °C à 24 °C. Si vous souhaitez prendre un bain avec votre bébé, vous devez au préalable procéder à une douche ou une toilette méticuleuse.

PRÉPAREZ VOS ACCESSOIRES

Placez à portée de main tout ce dont vous aurez besoin : serviette ou peignoir sur la table à langer ou mieux, sur le radiateur chaud, savon, gant de toilette, shampoing, jouets, couche, crème hydratante... et tous ses vêtements. Plongez un thermomètre de bain dans sa baignoire.

REMPLISSEZ LA BAIGNOIRE

Qu'il s'agisse d'une baignoire pour bébé ou de la grande baignoire familiale, ne faites pas couler trop d'eau si vous ne vous sentez pas sûre de vous. S'il s'agit d'une petite baignoire, placez-la au fond de la grande pour éviter les éclaboussures. Enfilez un peignoir afin de protéger vos vêtements. Vérifiez la température de l'eau, qui doit être de 36 °C à 37 °C **(1)**. Si vous n'avez pas de thermomètre, vérifiez la température en trempant votre coude dans l'eau.

DÉSHABILLEZ VOTRE BÉBÉ

Déshabillez votre bébé tout en le distrayant pour qu'il ne s'énerve pas. Commencez par ôter le bas, puis la couche. Procédez à un premier nettoyage du siège et des organes génitaux afin de retirer les selles qui pourraient avoir adhéré au siège (cf. p. 50). Rincez et essuyez. Enlevez-lui les vêtements du haut en écartant bien l'encolure du body ou du t-shirt **(2) (3)**. Mettez les vêtements au sale, ou pliez-les et laissez-les à proximité pour les avoir rapidement à portée de main après le bain.

> Quels types de savon employer ?

Un petit savon de Marseille ou un pain sans savon surgras conviennent bien à l'épiderme fragile des tout-petits. Pour les cheveux, achetez-lui un shampoing doux pour bébés, hypoallergénique, qui ne pique pas les yeux. Si vous n'en avez plus, utilisez le savon (de Marseille ou autre, celui que vous avez choisi). Certains produits « 2 en 1 » peuvent être utilisés à la fois pour le corps et les cheveux. Veillez toujours à ce qu'ils soient adaptés à la peau de votre bébé.

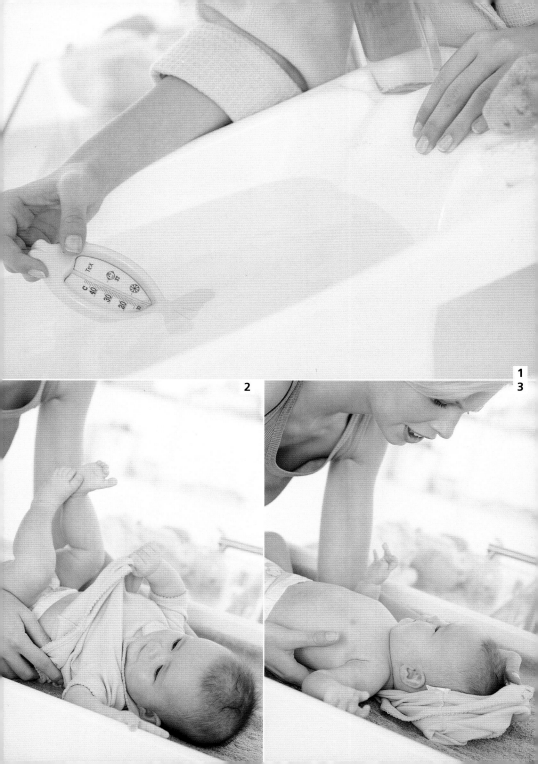

1
2
3

SAVONNEZ VOTRE BÉBÉ DE HAUT...

Avant de baigner votre bébé, vous devez le savonner dans tous ses replis. Utilisez un gant de toilette que vous mettrez au sale après usage, ou procédez à mains nues **(1)**. Commencez par le ventre, la poitrine, le cou, les bras, les aisselles, puis passez aux mains. Asseyez votre bébé, et continuez par le dos, le cou et la nuque, sans oublier de le savonner derrière les oreilles. Rincez-le légèrement afin qu'il ne soit pas glissant. Cela évitera de souiller l'eau.

... EN BAS

Rincez le gant de toilette et savonnez-le légèrement. Dans le cas contraire, savonnez-vous les mains. Procédez au nettoyage des cuisses, des plis de l'aine, des genoux, des mollets, puis terminez par les pieds. À l'aide du gant de toilette ou d'une lingette, procédez au nettoyage des organes génitaux : inutile de décalotter le petit garçon, veillez juste à débarrasser son pénis et ses testicules des traces d'urine et de selles. Vérifiez la propreté de tous les plis. Passez aux fesses et à l'anus avec une lingette propre. Rincez le gant autant de fois que nécessaire.

METTEZ VOTRE BÉBÉ À L'EAU...

Éliminez grossièrement les traces de savon afin que votre enfant ne soit pas glissant, faute de quoi il pourrait vous échapper. Vérifiez une fois encore la température de l'eau, puis immergez votre bébé dans l'eau fesses en premier, en le soutenant d'une main sous les fesses, l'autre maintenant la tête et la nuque **(2)**. Souriez-lui et parlez-lui doucement pour qu'il apprécie pleinement ce moment. Exécutez lentement ces manœuvres, les bébés n'aiment guère les mouvements brusques.

... PUIS RINCEZ-LE

Rincez les parties qui ne sont pas immergées avec la main qui lui soutenait les fesses, l'autre lui maintenant fermement (mais doucement) la nuque et la tête ou les épaules **(3)**. Si vous vous sentez à l'aise, retournez bébé à quatre pattes, en le maintenant d'une main en dessous de la poitrine, puis rincez son dos de l'autre main. Vous pouvez aussi l'asseoir en le maintenant d'une main sous une aisselle, et l'asperger d'eau avec la main restée libre. Veillez à ce que toutes les parties du corps et les plis soient correctement débarrassés du savon.

> ### Des accessoires pour donner le bain en toute sécurité

Selon l'âge de votre enfant, divers accessoires existent pour vous faciliter la vie au moment du bain :

• **Le transat de bain.** Si vous n'êtes pas très sûre de vous et que vous avez peur de laisser échapper votre bébé, procurez-vous un siège de bain ergonomique. Certains sont réglables (et grandissent donc avec l'enfant), d'autres, recouverts d'éponge, évitent les glissades. Vous pourrez ainsi vous servir de vos deux mains pour laver et rincer votre enfant.

• **Le protège robinets.** Le robinet de la baignoire reste très chaud, même une fois l'eau coupée. Veillez à ce que votre enfant ne touche pas à cet objet rutilant fort attirant en recouvrant le robinet d'un élément amovible gonflable (en vente dans les magasins spécialisés) ou, à défaut, d'un gant de toilette imprégné d'eau froide ou d'une serviette de toilette.

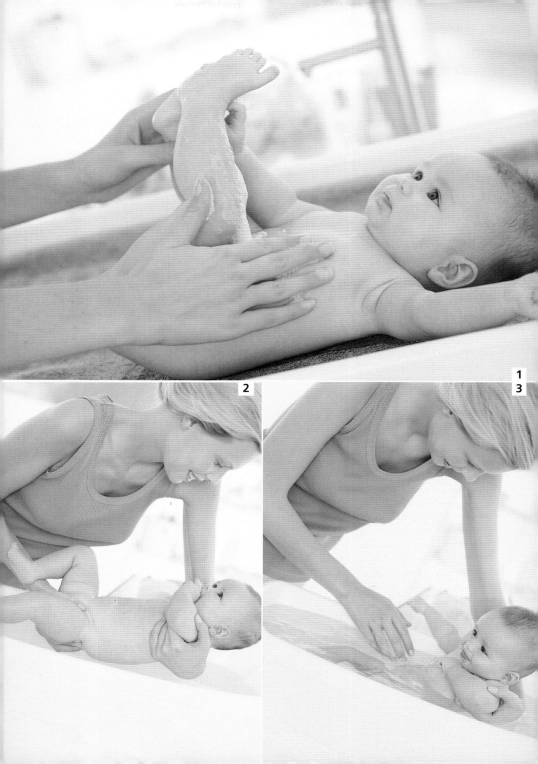

AU TOUR DES CHEVEUX

Mouillez les cheveux de votre bébé en versant de l'eau avec la main ou avec un gant de toilette. Versez quelques gouttes de shampoing pour bébé sur sa tête. Faites mousser, puis rincez abondamment avec la main ou un gant de toilette, en maintenant bébé derrière la nuque **(1)**. N'ayez pas peur de passer sur la fontanelle, même si la peau est fine à cet endroit, elle recouvre une membrane plus épaisse. Continuez jusqu'à ce qu'il n'y ait plus aucune trace de shampoing **(2)**.

LAISSEZ-LE PROFITER DE L'EAU

Maintenant que votre bébé est propre, laissez-le gigoter à sa guise dans la baignoire. Il peut remuer ses bras et jambes (gare aux éclaboussures !) comme se laisser flotter doucement dans l'eau, simplement maintenu par votre main sous sa nuque ou ses aisselles. Dans cette position, certains nourrissons tentent de boire l'eau de la baignoire, réflexe hérité de leur période intra-utérine, où ils buvaient le liquide amniotique. Il n'est pas recommandé de les laisser faire, l'eau de la baignoire étant souillée par le savon, le shampoing, la transpiration…

SORTEZ-LE DE L'EAU…

Une fois que bébé s'est bien détendu (ses mouvements des bras et des jambes contribuent à développer sa musculature), sortez-le comme vous l'avez mis à l'eau, c'est-à-dire en le maintenant sous la tête et la nuque d'une main, et sous les fesses de l'autre main. Ne videz jamais l'eau du bain pendant qu'il est encore dedans. Cela pourrait l'effrayer.

… SÉCHEZ-LE

Déposez-le sur la serviette de bain ou sur son peignoir étalé sur le matelas à langer. Emmitouflez-le dedans. Frictionnez-le en le tenant contre vous **(3)**. Reposez-le sur la table à langer, puis essuyez-lui délicatement les cheveux, le torse, les bras et les épaules, les mains, les jambes et les pieds. N'oubliez pas tous les petits endroits susceptibles de conserver des traces d'humidité : plis de l'aine, du cou, aisselles, espaces entre les doigts de pieds et de mains. Enduisez-le de crème si nécessaire, et procédez à la toilette du visage.

…ET HABILLEZ-LE VITE

Pour éviter que bébé ne prenne froid, dépêchez-vous de l'habiller dès qu'il est bien sec. Ôtez son peignoir mouillé, puis commencez par la brassière de coton (choisissez de préférence un modèle qui ne s'enfile pas par la tête pour ne pas énerver votre bébé), puis la brassière de laine (selon la saison). Le pull ou le t-shirt, la couche, et enfin le bas. Pour la nuit, remplacez pull et bas par une grenouillère ou un pyjama. Coiffez ses cheveux, et voilà un bébé tout propre et beau !

> **À quel âge donner le bain à bébé dans la grande baignoire ?**

Vous devrez attendre qu'il tienne assis, donc pas avant 6-7 mois. Placez un tapis ou des autocollants antidérapants dans le fond de la baignoire, car il est propice à des glissades dangereuses. S'il a peur dans ce grand espace, tâchez de le rassurer et de le valoriser en lui disant qu'il prend désormais son bain comme les grands ! S'il pleure toujours, reprenez momentanément la petite baignoire jusqu'à ce qu'il soit prêt à sauter dans le grand bain.

1

2
3

LA GRANDE TOILETTE

CERTAINS ENFANTS N'APPRÉCIENT NULLEMENT D'ÊTRE BAIGNÉS (OU TOUT SIMPLEMENT DÉSHA-BILLÉS) ET LE MANIFESTENT AVEC VIGUEUR. POUR LEUR ÉPARGNER CETTE « ÉPREUVE » QUOTI-DIENNE, VOUS POUVEZ ALTERNER LES BAINS AVEC LA GRANDE TOILETTE. SI VOUS N'ÊTES PAS CHEZ VOUS OU QUE VOUS ÊTES PRESSÉE, CE PEUT ÊTRE AUSSI UNE BONNE SOLUTION.

PRÉPAREZ-VOUS À LA TOILETTE

Avant de commencer, disposez le matériel dont vous aurez besoin à portée de main : gant de toilette, savon, grande serviette de toilette propre. Veillez à ce que la pièce soit bien chauffée (22 °C). Remplissez le lavabo ou une cuvette d'eau tiède. Prenez votre bébé sur vos genoux, ou installez-le sur la table à langer – où vous avez posé la serviette de toilette – et déshabillez-le.

LAVEZ LA POITRINE DE VOTRE BÉBÉ...

Commencez par lui laver la poitrine avec le gant de toilette légèrement savonneux. N'oubliez pas les aisselles, les plis du cou et derrière les oreilles, de petites peluches et impuretés peuvent s'y être logées **(1)**. Poursuivez par les bras et les mains. Rincez soigneusement le gant puis votre bébé.

... PUIS SON DOS

Placez votre avant-bras tout contre la poitrine de votre bébé, et penchez-le légèrement vers l'avant **(2)**. Lavez puis rincez son dos de la même façon que sa poitrine en veillant à le maintenir bien fermement pour qu'il ne glisse pas.

SÉCHEZ SA POITRINE ET SON DOS

Séchez soigneusement sa poitrine et son dos à l'aide d'une serviette éponge toute douce. Enveloppez-le dedans quand vous avez terminé et frictionnez-le doucement tout en le tenant contre vous. Maintenez-le ferme-ment pour qu'il ne tombe pas.

LAVEZ LES JAMBES ET LES PIEDS

Si vous craignez que votre bébé ait froid, lais-sez son buste bien enveloppé dans la serviette. Rincez le gant de toilette. Savonnez-le légèrement. Procédez au nettoyage des jambes, en commençant par les cuisses, puis descendez vers les genoux **(3)**. Insistez bien sur les petits plis. Terminez par les pieds, passez délicatement entre les orteils. Séchez soigneusement votre bébé avec la serviette de toilette.

TERMINEZ PAR LES FESSES

En ce qui concerne le nettoyage des fesses et le change de la couche, indispensables pour compléter cette grande toilette, reportez-vous à la p. 50.

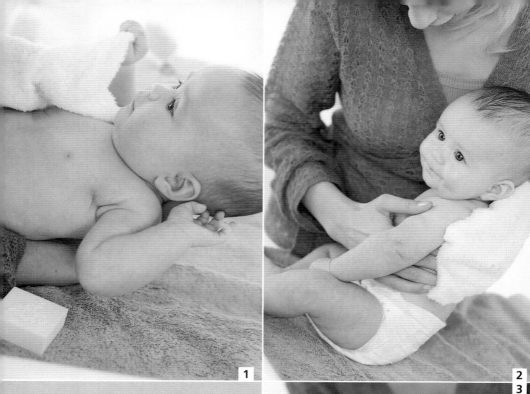

> S'il n'aime pas l'eau

Bien que le bébé passe 9 mois en milieu liquide, il arrive que dans les jours ou semaines qui suivent la naissance, il se mette à détester l'eau et hurle dès que vous l'en approchez. Ceci peut être dû à une mauvaise expérience (bain trop chaud ou trop froid, savon dans les yeux, bain donné brutalement).

Dans ce cas, rien ne sert de le forcer : il faut l'y habituer petit à petit, en effectuant d'abord des grandes toilettes pour le réconcilier avec l'eau, puis en le mettant dans un bain rempli de très peu d'eau, avec des gestes fermes et confiants.

LA TOILETTE DU VISAGE

LA TOILETTE DU VISAGE SE FAIT QUOTIDIENNEMENT APRÈS LE BAIN OU LA TOILETTE DU CORPS, SI VOUS AVEZ CHOISI DE NE PAS BAIGNER VOTRE ENFANT. PRENEZ SOIN DE L'HABILLER SI VOUS CRAIGNEZ QU'IL PRENNE FROID, ET DE LUI METTRE UNE COUCHE.

LAVEZ JOUES, FRONT ET MENTON

Lavez-vous soigneusement les mains. À l'aide d'un disque à démaquiller (ou d'une compresse en ouate non pelucheuse) imprégné d'eau tiède, lavez le visage de votre bébé en commençant par le moins « sale », c'est-à-dire les joues, le front et les ailes du nez **(1)**. Continuez par le menton, puis le contour de la bouche, sans frotter. N'oubliez pas les plis du cou. Jetez le coton.

ESSUYEZ-LES DÉLICATEMENT

Munissez-vous d'une seconde compresse, puis essuyez le visage afin de le débarrasser des éventuelles traces humides, toujours sans frotter. Ce geste évitera que la peau de votre bébé ne se dessèche.

POUR UN REGARD DE VELOURS...

Imprégnez une compresse de sérum physiologique en unidose. Passez cette compresse du coin interne au coin externe de l'œil pour éliminer les impuretés. Procédez de même de l'autre côté, en utilisant une nouvelle compresse **(2)**.

...ET UN BOUT DU NEZ BIEN NET

Si le nez de votre bébé est sale, nettoyez chaque narine avec un Coton-Tige ou un disque à démaquiller plié en quatre, imprégné de sérum physiologique. Servez-vous dans ce cas de la partie en pointe. Veiller à ne pas enfoncer le coton dans le nez, il faut juste en nettoyer le pourtour **(3)**.

LAVEZ LES OREILLES

À l'aide d'un Coton-Tige ou d'un disque à démaquiller non pelucheux, que vous avez enroulé sur lui-même afin de former une mèche, nettoyez l'entrée du conduit auditif, en prenant bien soin de ne pas enfoncer le coton : vous risqueriez de repousser le cérumen vers l'intérieur. Jetez le coton. Vous pouvez aussi utiliser un Coton-Tige spécial bébés (vendu en pharmacie) **(4)**. Munissez-vous ensuite d'un disque à démaquiller, imprégnez-le d'eau tiède. Pliez-le en quatre afin de former une pointe. Passez cette partie saillante dans tous les petits plis du pavillon de l'oreille afin de les débarrasser des peaux mortes et impuretés. N'oubliez pas le sillon situé derrière le pavillon. Jetez le coton.

ET TERMINEZ EN LE COIFFANT

Utilisez pour cela une brosse à cheveux à poils souples. Coiffez votre bébé de manière à discipliner son petit duvet (ou son épaisse chevelure) sans appuyer pour ne pas lui faire mal. Si ses cheveux sont doux et souples, non mêlés, vous pouvez aussi utiliser un peigne. Cette séance de coiffage permettra également d'éliminer d'éventuelles croûtes de lait (cf. p. 46).

> Nettoyer les dents de votre bébé

Dès qu'elles sont suffisamment sorties, vous pouvez appliquer un gant de toilette sur ses petites dents très délicatement pour éliminer la plaque dentaire.

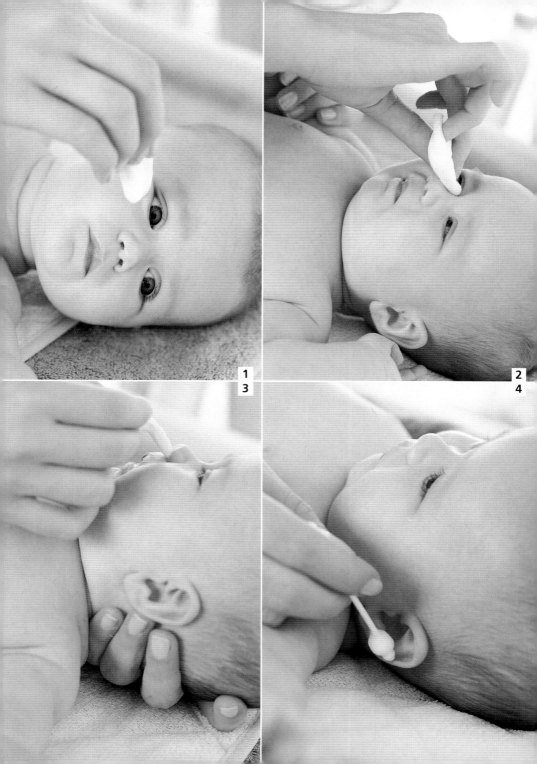

1
2
3
4

LES SOINS DE LA PEAU

CERTAINS BÉBÉS ONT UNE PEAU TRÈS SÈCHE, QUI PRÉSENTE UN ASPECT « ÉCAILLÉ ». DANS CE CAS L'USAGE QUOTIDIEN D'UNE CRÈME HYDRATANTE EST INDISPENSABLE. EN REVANCHE, SI LA PEAU EST BIEN LISSE ET UN PEU GRASSE, IL N'EST PAS NÉCESSAIRE D'APPLIQUER DE LA CRÈME.

HYDRATEZ LE VISAGE...

Quand le visage de votre bébé est bien propre et net, appliquez une crème grasse sur les joues, le front, le menton en massant douce-ment en petits mouvements circulaires **(1)**. La peau du visage d'un bébé est particulière-ment fine et sensible. Elle a tendance à se dessécher en été (à cause de la chaleur) comme en hiver (à cause du froid et du vent), d'autant que le petit enfant ne sécrète pas beaucoup de sébum, cette substance un peu grasse qui protège la peau des agressions extérieures.

... PUIS LE BUSTE

Essuyez soigneusement la peau de bébé avec une serviette de toilette douce et sèche. Appliquez une noisette de crème hydratante sur la poitrine de votre enfant. Massez bien pour faire pénétrer **(2)**.

Ces gestes apaisants et souples contribueront à détendre votre bébé. Mais attention ! Il faut que la pièce soit correctement chauffée, sinon votre enfant ne pourra profiter pleine-ment de cet instant.

N'OUBLIEZ PAS LES PIEDS...

Appliquez une petite noisette de crème sur chaque pied. Massez délicatement la plante, le dessus et le cou de pied **(3)**. N'oubliez pas le petit espace entre chaque orteil. La plupart des bébés apprécient ce soin-massage, mais si le vôtre pleure ou paraît mal à l'aise, n'in-sistez pas. Remontez le long du mollet, du genou, puis de la cuisse. N'oubliez pas le petit pli situé en haut des cuisses, qui a tendance à se dessécher.

... NI LES MAINS

Utilisez une petite quantité de produit afin que bébé ne garde pas les mains grasses, ce qui est désagréable. De plus, il a tendance – et c'est normal – à porter les mains à sa bouche. Remontez le long du bras, jusqu'à l'épaule, et n'oubliez pas les plis du coude ni les aisselles.

TERMINEZ PAR LE DOS

Retournez délicatement votre bébé sur le ventre, le visage bien dégagé sur le côté. S'il se dresse sur les avant-bras en relevant la tête, maintenez-le fermement afin qu'il ne roule pas sur le côté. Appliquez un peu de crème sur sa peau et faites-la pénétrer en massant doucement **(4)**. Si votre enfant tient déjà assis, vous pouvez également lui appliquer sa crème quand il est dans cette position. À vous de voir comment il se sent le plus à l'aise.

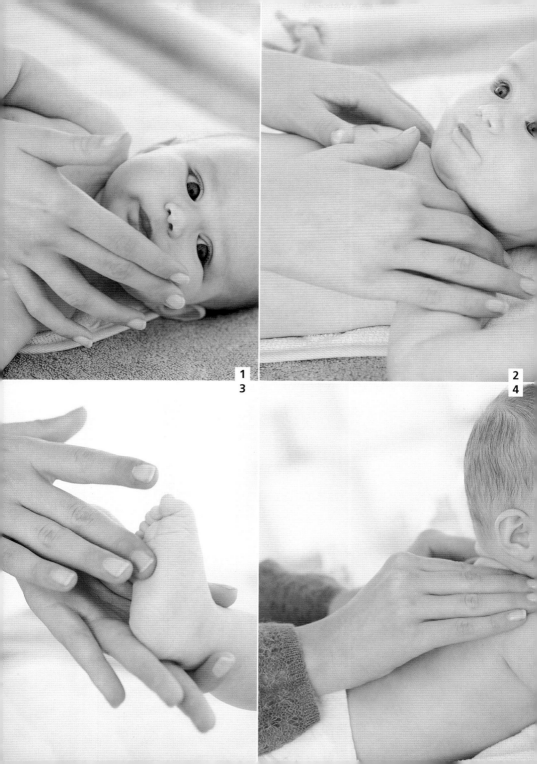

1
3

2
4

TRAITEZ LES CROÛTES DE LAIT...

Il est fréquent que les bébés aient dans les cheveux ce que l'on appelle communément des « croûtes de lait », c'est-à-dire de petites desquamations bénignes du cuir chevelu. Si tel est le cas votre bébé, appliquez de l'huile d'amandes douce ou de la vaseline sur les croûtes (vous pourrez également trouver en pharmacie des crèmes conçues pour cet usage). Massez bien puis laissez agir pendant la nuit **(1)**.

... PUIS ÉLIMINEZ-LES

Le lendemain, avant de donner le bain, ôtez les croûtes de lait avec un peigne fin ou une brosse à cheveux à poils souples **(2)**. Vous n'avez plus qu'à procéder au shampoing comme d'habitude. Pensez à rincez soigneusement brosses et peignes. Sachez que pour éviter l'apparition des croûtes de lait, il est conseillé de laver quotidiennement les cheveux de bébé avec un shampoing doux spécial bébé jusqu'à l'âge de 3 ou 4 mois.

> Traiter un érythème fessier

Le siège du bébé, toujours en contact avec la couche plus ou moins humide et/ou souillée, peut être irrité. Si les fesses de votre enfant présentent des rougeurs, rincez-les soigneusement avec un gant de toilette (renouvelé à chaque change) imbibé d'eau et d'un peu de savon (savon de Marseille, pain dermatologique…) et essuyez-les bien à l'aide d'une serviette douce, propre et sèche. Appliquez ensuite une solution d'éosine à 2 %, laissez bien sécher, puis étendez sur les lésions une crème traitante à base d'oxyde de zinc ou d'huile de poisson avant de mettre une couche propre (cf. p. 50 à 54). Enfin, changez votre bébé fréquemment et, à cette occasion, laissez-lui les fesses à l'air le plus longtemps possible.

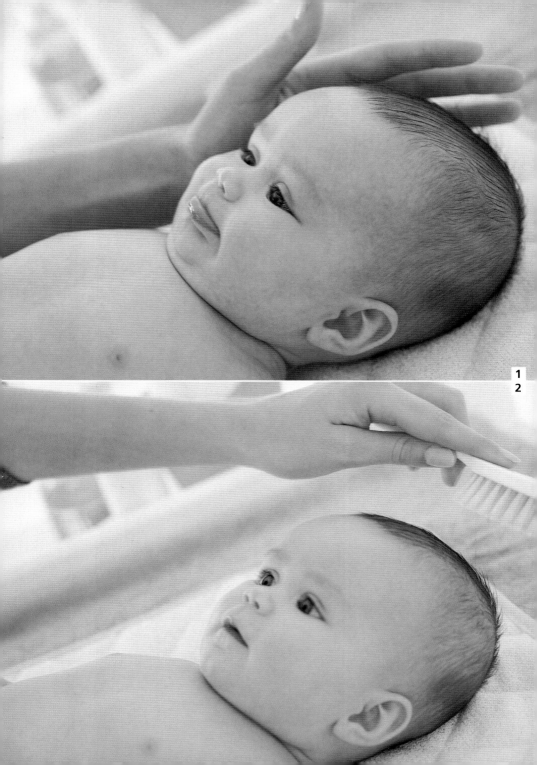

LES MASSAGES

MASSER LES BÉBÉS LEUR PROCURE BIEN-ÊTRE ET DÉTENTE, LES AIDE À DÉVELOPPER LEUR MUSCULATURE ET FAVORISE LA COMMUNICATION CORPORELLE. ÉVITEZ CEPENDANT DE MASSER VOTRE BÉBÉ S'IL EST ATTEINT DE FRAGILITÉ OSSEUSE OU DE PROBLÈMES ARTICULAIRES, DE MÊME S'IL SOUFFRE D'AFFECTIONS CUTANÉES OU SI VOUS VENEZ DE LE NOURRIR. PRATIQUEZ TOUJOURS EN DOUCEUR, PAR EFFLEUREMENTS LÉGERS.

PRÉPAREZ-VOUS

Lavez-vous les mains à l'eau chaude pour que leur contact soit agréable. Essuyez-les bien. Faites couler dans votre paume une huile végétale neutre (type huile d'amandes douce), frottez vos mains l'une contre l'autre pour bien répartir le produit sur vos paumes. Assurez-vous que la température de la pièce est suffisamment élevée (22 °C à 24 °C).

LE VISAGE ET LES ÉPAULES

Allongez votre enfant sur le dos. Placez vos paumes sur le sommet de sa tête, puis descendez doucement vers le front et les tempes en mouvements circulaires, légèrement appuyés. Placez ensuite vos pouces à la base du nez, et faites-les glisser vers les oreilles que vous masserez légèrement, toujours en mouvements circulaires, du haut vers les lobes **(1)**. Passez enfin aux épaules que vous masserez d'avant en arrière.

CARESSEZ LES BRAS ET LES JAMBES...

Saisissez la main de votre bébé de la main gauche, tandis que vous remonterez votre main droite le long de son bras, jusqu'à l'épaule, avec des mouvements doux et circulaires. Redescendez en vous arrêtant sur le coude que vous masserez de la même façon. Placez ensuite vos mains autour des chevilles de votre bébé. Remontez jusqu'aux genoux, puis vers le haut des cuisses, pour redescendre selon le même protocole **(2)**.

... SANS OUBLIER LES EXTRÉMITÉS

Avec votre pouce, massez de manière appuyée la paume de la main de votre bébé, en mouvements circulaires. Passez aux doigts que vous masserez en les étirant de haut en bas. Votre bébé appréciera aussi particulièrement un massage de la voûte plantaire : effectuez de petits mouvements circulaires sur toute sa plante de pied, sans oublier les orteils.

POITRINE, VENTRE ET DOS

Posez vos mains à plat sur la poitrine de bébé. Descendez-les lentement jusqu'aux aines, puis remontez jusqu'à la poitrine. Quand vous passez sur le ventre, effectuez de petits mouvements circulaires. Pour lui masser le dos, retournez-le et posez vos doigts (mains bien à plat) sur ses reins, en haut des fesses **(3)**. Remontez lentement vers les épaules, de chaque côté de la colonne vertébrale, sans toucher ni manipuler ses vertèbres. Une fois arrivée à la hauteur des omoplates, effectuez un petit mouvement vers l'extérieur, puis redescendez vers les reins, doucement. Massez ensuite ses flancs, des aisselles aux hanches, de haut en bas et de bas en haut.

> Soulager les maux de ventre

Posez une de vos mains à plat juste au-dessous du nombril. Remontez en demi-cercle vers le sternum, puis redescendez doucement. Faites le même geste de l'autre main en remontant par l'autre côté.

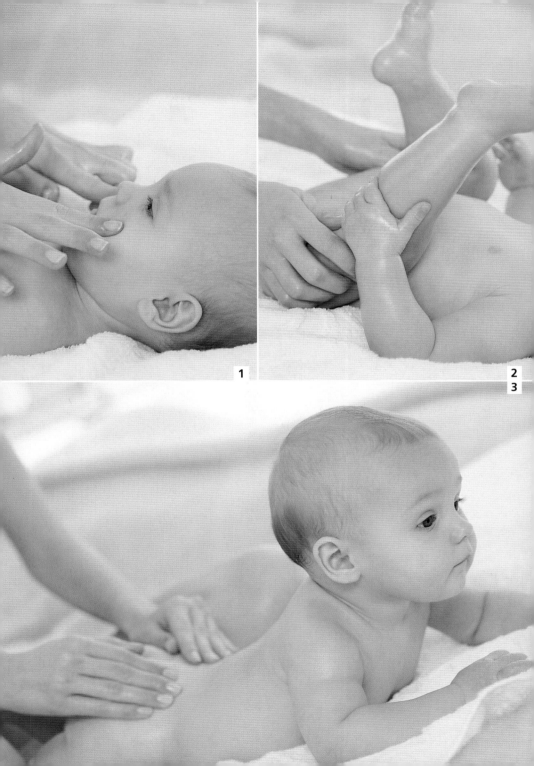

1

2
3

LE CHANGE

IL EST IMPORTANT DE CHANGER LA COUCHE DE VOTRE BÉBÉ DÈS QU'ELLE EST SOUILLÉE PAR UNE SELLE OU UNE QUANTITÉ IMPORTANTE D'URINE. LA MACÉRATION DE L'URINE ET DES SELLES DANS LA COUCHE CRÉE DES IRRITATIONS, C'EST POURQUOI IL EST FONDAMENTAL DE LAVER, RINCER ET ESSUYER SCRUPULEUSEMENT VOTRE BÉBÉ LORS DE CHAQUE CHANGE.

ORGANISEZ-VOUS !

Rassemblez toutes les affaires dont vous aurez besoin : couche propre, gant de toilette, eau tiède, savon de Marseille, serviette de toilette si vous êtes à la maison (pour minimiser les risques d'allergie et éviter les irritations), lingettes pré-imprégnées à usage unique en dehors de chez vous (elles sont tellement pratiques…), et crème pour prévenir ou soulager les rougeurs et irritations. Pensez aussi à vous munir d'un sac en plastique où vous mettrez la couche souillée avant de la jeter à la poubelle.

Allongez votre bébé sur un matelas à langer – ou sur tout autre support moelleux si vous n'êtes pas chez vous – recouvert d'une serviette de toilette.

ENLEVEZ LA COUCHE SOUILLÉE

Ôtez les vêtements de votre enfant (le bas seulement suffit souvent), puis décollez les adhésifs de la couche. Ouvrez-la en rabattant la partie de devant vers vous. Essuyez les selles avec les zones de la couche restées propres, puis ôtez complètement la couche en soulevant légèrement les fesses de bébé, et roulez-la. Fermez-la en serrant bien avec les adhésifs de manière à former une boule et mettez-la dans le sac en plastique.

FAITES UN GRAND NETTOYAGE

Nettoyez les fesses de bébé avec le gant de toilette savonneux (ou la lingette), en allant du moins sale au plus sale et de l'avant vers l'arrière pour minimiser le risque d'infections des organes génitaux par les germes contenus dans les selles **(1)**. Renouvelez l'opération autant de fois que nécessaire, sans oublier de bien nettoyer tous les petits plis.

SÉCHEZ BIEN LES FESSES

Essuyez le siège de votre enfant avec une serviette de toilette douce et bien sèche. C'est encore mieux si vous la posez sur le radiateur pour qu'elle soit tiède. Votre bébé appréciera ! Pour cette opération, n'oubliez pas les plis des cuisses, où l'humidité a tendance à se glisser.

APPLIQUEZ UNE CRÈME PROTECTRICE

Si les fesses de votre bébé sont rouges ou irritées, appliquez-lui le traitement préconisé p. 46. À titre préventif, utilisez une pommade à l'eau, qui formera un film anti-irritation **(2)**.

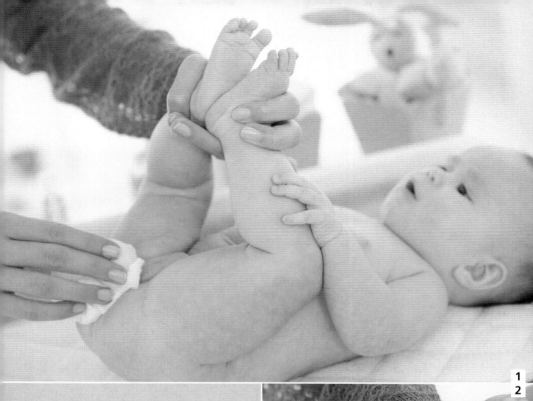

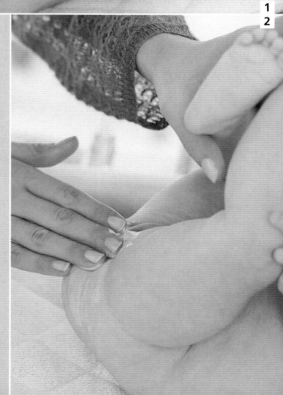

> Certains détestent, d'autres adorent…

Certains bébés ont horreur d'être déshabillés : ils risquent donc de pleurer au moment du change. Pour l'éviter, enlevez-leur seulement le bas et veillez à ce que la température de la pièce ne descende pas en dessous de 22 °C.

D'autres apprécient particulièrement ce moment : s'ils sont énervés dans la journée, vous pouvez recourir au change pour les calmer.

METTEZ LA COUCHE PROPRE EN PLACE

Prenez la couche que vous avez préparée, avec le reste du matériel, à portée de main. Dépliez-la. Placez la partie postérieure de la couche – sur laquelle se trouvent les adhésifs – sous les fesses de votre bébé **(1)**. Veillez à bien placer bébé au centre de la couche. Elle ne doit dépasser ni à droite, ni à gauche. Les parties antérieure et postérieure doivent arriver au même niveau, c'est-à-dire approximativement au niveau de la taille **(2)**. Le sexe du petit garçon sera dirigé vers le bas, pour éviter les fuites intempestives au niveau de la ceinture.

FIXEZ LES BANDES ADHÉSIVES

Une fois que la couche est correctement positionnée, il ne vous reste qu'à décoller la protection des bandes autocollantes, à rabattre la partie postérieure de la couche, puis à fixer les adhésifs. Attention ! Il ne faut pas trop serrer – votre bébé serait mal à l'aise, surtout en position assise – ni que la couche soit trop lâche (sinon, gare aux fuites !) **(3)**. Pas de panique : les bandes autocollantes sont, dans la plupart des modèles, repositionnables… ce qui vous laisse droit à l'erreur. Sinon, gardez du sparadrap à portée de main !

RABATTEZ LA BANDE ANTI-FUITES

Au niveau de la ceinture, sur le devant et le dos de la couche se trouve une petite bande libre qu'il vous suffit de rabattre à l'intérieur de la couche. Sa fonction : éviter autant que faire se peut les débordements indésirables. Laissez votre bébé allongé sur le dos pour rentrer la partie ventrale, puis retournez-le ou asseyez-le pour effectuer la même tâche pour la partie dorsale **(4)**.

RHABILLEZ VOTRE BÉBÉ

Vérifiez bien que le t-shirt, le body ou la brassière de votre bébé ne sont pas mouillés, ce qui arrive fréquemment. Outre le contact très désagréable d'un vêtement humide et froid, l'urine est très irritante pour la peau. Si cela arrive, rincez le ventre de votre bébé à l'eau claire avant de lui mettre un sous-vêtement propre et de le rhabiller.

> Change spécial garçon…

Méfiez-vous des petits garçons dont vous venez d'ôter la couche. Les bébés font souvent pipi dès qu'ils ont les fesses à l'air et si vous ne vous méfiez pas, ce sera la douche assurée ! Avant de tout lui enlever, laissez-le donc un moment avec la couche défaite, en maintenant la partie ventrale devant son pénis.

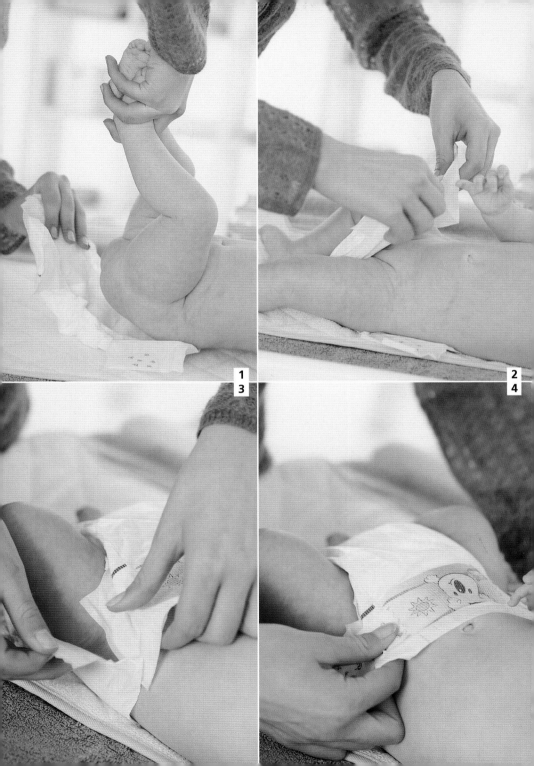

1

2

3

4

HABILLER VOTRE BÉBÉ

L'HABILLAGE D'UN BÉBÉ EST TOUJOURS UN PEU IMPRESSIONNANT. LES MÈRES SE SENTENT SOUVENT MALADROITES, CRAIGNANT DE BLESSER LEUR ENFANT : EN EFFET, IL N'EST PAS FACILE D'HABILLER CE PETIT BOUT QUI SE DÉBAT TOUT LE TEMPS ! NE CRAIGNEZ RIEN : EN APPRENANT LES BONS GESTES, VOUS L'HABILLEREZ EN DEUX TEMPS TROIS MOUVEMENTS.

OÙ INSTALLER VOTRE BÉBÉ ?

Allongez votre enfant sur une surface propre, douce et tiède. Si vous choisissez de l'habiller sur un matelas à langer, veillez à le recouvrir d'une serviette éponge, car le contact direct du plastique sur la peau lui sera désagréable. Vous pouvez aussi le changer et l'habiller sur un lit, sur lequel vous aurez installé une serviette éponge (en cas de fuites).

COMMENCEZ PAR LE BODY

Choisissez-le à manches courtes en été, et à manches longues en hiver. Passez la tête de votre bébé en élargissant au maximum l'encolure et en commençant par le visage afin que votre enfant se sente à l'aise **(1)**. Passez ensuite le crâne.

APRÈS LA TÊTE, ENFILEZ LES MANCHES…

Pour enfilez les manches sans risquer de faire mal à votre bébé ou de lui retourner un doigt, saisissez sa main dans la vôtre que vous avez passée par l'extrémité de la manche, que vous déroulerez sur son bras **(2)**. Procédez de même de l'autre côté.

… ET FERMEZ LE BODY

Tirez ensuite le body sur le buste jusqu'en bas de la couche. Fermez-le soigneusement grâce aux boutons pressions à l'entrejambe **(3)** en prenant soin de ne pas pincer la peau. Vérifiez que rien ne gêne les mouvements de votre bébé, puis réajustez éventuellement les manches et l'encolure.

OCCUPEZ-VOUS DU HAUT…

Procédez de même pour enfilez un pull ou un t-shirt : passez d'abord la tête en évitant de toucher le visage, puis enfilez les manches et boutonnez l'encolure si cela est nécessaire. Déroulez bien le vêtement jusqu'à la taille pour supprimer les plis. Si c'est avec une robe que vous habillez votre petite fille et que vous devez la boutonner sur le devant, laissez votre enfant allongée ; si les boutons sont situés derrière, asseyez-la.

… PUIS PASSEZ AU BAS

Pour enfiler un pantalon ou une salopette, élargissez l'ouverture de la jambe au niveau du pied en y passant une main, puis saisissez le pied et déroulez la jambe du pantalon sur celle de votre bébé, jusqu'au genou **(4)**. Procédez de la même manière de l'autre côté, puis remontez le pantalon jusqu'à la taille. S'il fait froid, rentrez le pull dans le pantalon. Si le pantalon possède un zip et des boutons, fermez le tout et ajustez l'ensemble. Certains modèles très pratiques possèdent des boutons à pression tout le long de l'entrejambe, ce qui est bien pratique pour changer votre bébé sans le découvrir totalement.

> Enfiler des collants

Tire-bouchonnez la première jambe du collant, jusqu'au pied, puis déroulez-la jusqu'au genou, procédez de même de l'autre côté, et remontez les collants jusqu'à la taille en vérifiant qu'ils ne serrent pas trop le ventre de votre bébé.

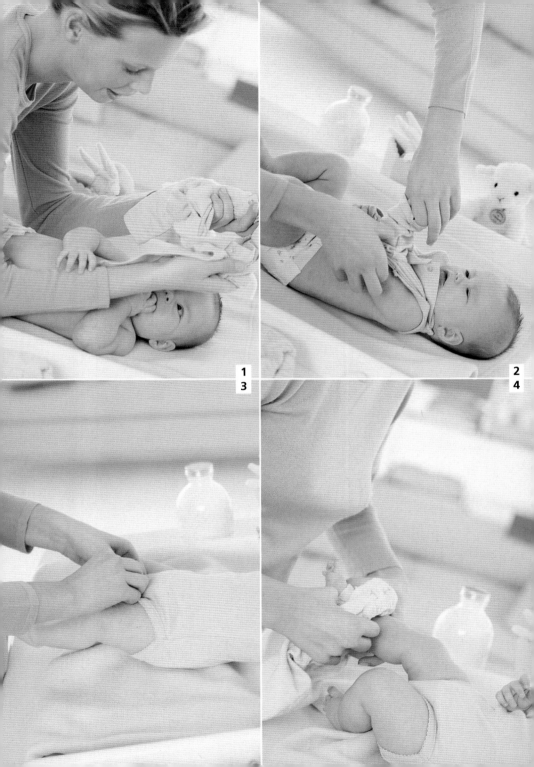

1

2

3

4

AU TOUR DES CHAUSSETTES...

Tire-bouchonnez la première chaussette, puis enfilez-la sur le pied en commençant par les orteils, la plante du pied, puis le talon, la cheville et le mollet **(1)**. Remontez-la bien de manière à ce qu'elle soit parfaitement tendue. Faites de même avec la seconde chaussette.

...PUIS DES CHAUSSURES

Ouvrez bien la première chaussure, en la délaçant suffisamment le cas échéant. Saisissez le pied de votre bébé, et glissez-le jusqu'au bout de la chaussure **(2)**. Assurez-vous que la chaussette ne forme pas de plis. Vérifiez que les orteils sont bien au bout de la chaussure, que le talon est correctement positionné, que la languette ne forme pas de plis, que la cheville est bien maintenue. La chaussure ne doit pas être trop serrée ni trop lâche. On ferme la chaussure en tirant sur le lacet et en faisant une rosette, assortie d'un double nœud pour plus de sécurité. Pour les chaussures à brides, on règle le serrage : ni trop tendu, ni trop lâche, en glissant l'ardillon de la boucle dans le trou le mieux adapté. Attention, une bride trop serrée entrave la bonne circulation du sang. Procédez de même pour l'autre pied.

ON MET LE GILET

Votre bébé est allongé ; prenez le gilet, passez votre main dans le bas de la manche, saisissez la menotte de bébé et enfilez la manche jusqu'à l'épaule. Asseyez votre enfant sur la table à langer. Saisissez l'autre manche, et procédez de même. Fermez le gilet et ajustez-le bien de tous les côtés. Vérifiez que le pull ou le body ne font pas de faux plis.

IL SORT : ON MET LA COMBINAISON

Quand il fait très froid, votre enfant doit être protégé par une combinaison. Certains modèles ont de petits chaussons incorporés. Commencez par les jambes. Passez votre main dans l'ouverture inférieure de la jambe, attrapez le pied puis procédez de même de l'autre côté. Remontez ensuite la combinaison jusqu'aux hanches, passez-la sous les fesses, puis asseyez votre bébé. Faites la même chose pour les bras : saisissez une main par l'ouverture du poignet et déroulez la manche. Asseyez votre enfant et fermez la combinaison ; n'oubliez pas de lui mettre un bonnet, une écharpe et une capuche en cas de grand froid **(3)**. Vérifiez surtout que ses mollets sont bien couverts : on voit souvent dans la rue des enfants en poussette, emmitouflés mais les mollets à l'air !

> ### Que faire si votre bébé pleure pendant que vous l'habillez ?

Rien ne sert de paniquer ou de vous énerver : continuez à sourire et à lui parler doucement. Chantez-lui une petite chanson ou mimez une comptine pour capter son attention, donnez-lui un petit jouet pour l'occuper ou encore accrochez un petit mobile musical au-dessus de la table à langer. Si le moment de l'habillage est particulièrement difficile pour lui, pensez à enfiler les vêtements les uns dans les autres (le pull sur le t-shirt par exemple) avant de lui mettre, afin de raccourcir ce temps au maximum.

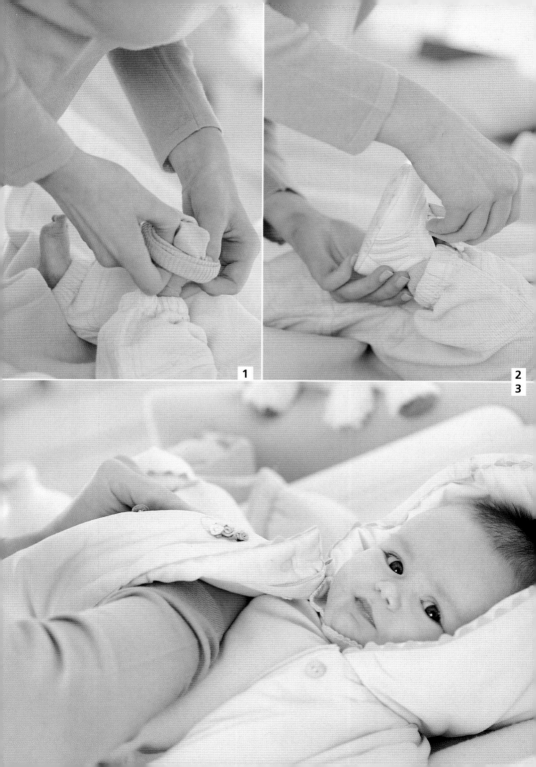

1

2
3

LES BONNES POSTURES POUR PORTER VOTRE BÉBÉ

PEUT-ÊTRE VOUS SENTEZ-VOUS UN PEU GAUCHE POUR PRENDRE ET CÂLINER VOTRE ENFANT... AVEC CES QUELQUES CONSEILS ET UN PEU D'EXPÉRIENCE, VOUS DEVIENDREZ VITE EXPERTE EN TENDRES TÊTE-À-TÊTE ET VOUS SAUREZ TROUVER LES POSTURES IDÉALES POUR VOUS ET POUR LUI.

SOULEVER UN BÉBÉ ALLONGÉ SUR LE DOS

Bien installé sur la table à langer, votre bébé n'attend qu'une chose : être pris dans vos bras. Penchez-vous vers lui, votre visage juste en face du sien. Parlez-lui doucement tout en lui souriant ou en lui caressant le visage. Glissez alors une main sous sa nuque, l'autre venant se loger sous ses fesses **(1)**. Prenez bien votre bébé en main. Amenez-le vers vous, en maintenant bien sa nuque (surtout s'il est encore tout petit et qu'il ne sait pas encore tenir sa tête) et ses fesses, sur votre main largement ouverte. Procédez de même pour le reposer dans son lit ou dans son transat.

LE PLACER CONTRE VOTRE POITRINE...

Plus classique : amenez votre enfant contre votre poitrine, sa tête sur votre épaule ; vos mains soutiennent fermement ses fesses. Il pourra venir se blottir dans votre cou. Cette position est idéale pour lui faire faire son rot après la tétée.

... OU AU CREUX DE VOTRE BRAS

Allongé de tout son long sur votre avant-bras, votre bébé est maintenu au niveau de la tête par le pli de votre coude. L'autre avant-bras soutient le premier afin que bébé ne pèse pas trop sur l'avant-bras où il repose **(2)**.

INDISPENSABLE : UN BON MAINTIEN

À ne jamais négliger : un bon maintien au niveau de la nuque – toujours fragile chez les tout-petits – et des fesses. Dans vos bras, le bébé est généralement assis sur votre avant-bras. L'assise doit être solide. Les bébés sont en général assez souples : il ne faut donc pas craindre de les « casser ». Si leur tête doit toujours être bien soutenue, pour le reste, il suffit d'être doux et ferme. Tout se passera bien et votre bébé se sentira en sécurité.

CŒUR À CORPS

Pour faire un gros câlin, rien ne vaut les bras rassurants d'une maman : bébé a glissé ses jambes de chaque côté de votre taille, ses deux petits bras sont sur vos épaules, et sa tête blottie dans le creux de votre cou **(3)**. L'important est qu'il se sente proche de vous, qu'il puisse sentir votre odeur.

SOULEVER UN BÉBÉ SUR LE VENTRE

Glissez un avant-bras entre ses jambes, et ouvrez largement vos doigts pour que son ventre repose sur votre paume et sur vos doigts en éventail **(1)**. Glissez votre autre avant-bras sous ses aisselles, et maintenez sa poitrine de votre main ouverte. À partir de cette position, ramenez votre enfant contre vous, poitrine contre poitrine, en ramenant sa tête vers votre épaule, tandis que de l'autre main, vous continuez à lui soutenir les fesses **(2)**. Cette position classique est idéale pour l'échange, les bisous et les caresses. Chacun perçoit la douceur et la chaleur de l'autre… Prenez le temps de savourer cet instant.

L'ALLONGER SUR VOS GENOUX…

Pour changer un peu, placez le buste de votre enfant en travers de vos genoux ; votre avant-bras soutient sa poitrine, sa tête repose sur votre paume ; de l'autre main, vous maintenez ses fesses au cas où il ferait un geste brusque.

De lui-même, bébé essaiera probablement de soulever sa tête : il pourra même prendre appui sur ses avant-bras, toujours allongé sur vos genoux. Maintenez-le bien pour qu'il ne roule pas sur le côté.
s

… OU SUR VOTRE AVANT-BRAS

La plupart des bébés adorent être allongés sur le ventre, à califourchon sur votre avant-bras, et bercé. Cette position permet en outre de calmer certaines coliques. Glissez une main sous le ventre de votre bébé, maintenez-le de l'autre au niveau de la hanche et de la cuisse, sans le serrer, et bercez-le doucement d'avant en arrière. Bien-être garanti !

DEBOUT CONTRE VOUS

Quand bébé joue les gymnastes… maman est aux anges ! Placez ses pieds sur votre ventre, et glissez un pouce sous ses aisselles, le plat de votre main et des doigts maintenant le haut de son dos et sa nuque **(4)**. Vous êtes tous deux face à face, et vous pouvez ainsi deviser gaiement ! Votre bébé tend ses petites jambes, peut même les détendre et recommencer pour un effet ressort garanti !

> Un sentiment de sécurité

Quelle que soit la position que vous choisissez, veillez à maintenir fermement votre enfant. Un bébé a besoin de se sentir toujours en sécurité. S'il vous sent peu sûre de vous ou qu'il n'est pas confortablement installé, il se mettra à pleurer pour vous signifier son malaise.

1
3
2
4

EN VISITE OU À LA MAISON : OÙ INSTALLER VOTRE BÉBÉ ?

TRÈS VITE, VOTRE BÉBÉ VA S'OUVRIR AU MONDE. IL NE PASSE PLUS TOUT SON TEMPS À DORMIR ET VEUT PARTICIPER À L'ACTIVITÉ DE LA MAISON POUR DÉCOUVRIR UN MAXIMUM DE CHOSES. TOUT CE QU'IL FAUT SAVOIR POUR L'INSTALLER CONFORTABLEMENT OU L'EMMENER PARTOUT EN RESPECTANT LES RÈGLES DE SÉCURITÉ.

LE TRANSAT : PRATIQUE ET CONFORTABLE

Un bébé est parfaitement à l'aise dans son transat **(1)**. Vous pourrez également l'emmener partout avec vous, car le transat est léger, et muni de poignées. Veillez à bien le placer sur le sol, car certains enfants particulièrement toniques peuvent faire tomber un transat installé sur une table. Faites également attention aux courants d'air qui circulent souvent près du sol. Si vous êtes invitée, n'oubliez pas d'emporter votre transat pour y installer votre bébé tandis que vous profiterez de vos amis…

LE PARC : UN ENDROIT SÉCURISANT

Quand vous êtes occupée, ne culpabilisez pas à installer bébé dans un parc, à condition d'y disposer suffisamment de jouets variés et fiables **(2)** ! Les barreaux sont l'instrument idéal pour se maintenir et apprendre, jour après jour, à se mettre debout.

LE TAPIS D'ÉVEIL

Le tapis d'éveil est parfait pour découvrir les matières, les couleurs, les sons… et pour apprendre à passer du dos sur le ventre en s'amusant **(3)** ! Le fait d'être dressé sur ses petits bras permet au bébé de renforcer la musculature de ses bras et de sa nuque ; peu à peu, votre bébé apprend à se déplacer tout seul sur le tapis d'éveil

LA CHAISE HAUTE

Bien pratique, la chaise haute permet de prendre ses repas tout en étant bien installé – en veillant toujours à ce qu'il soit bien attaché –, mais à la longue, le bébé s'y sent un peu enfermé ; c'est pourquoi il ne faut pas en abuser en dehors des repas. Vous pouvez y asseoir votre bébé pendant que vous lisez à table ou que vous terminez un repas, par exemple, avant de l'installer dans une structure plus adaptée !

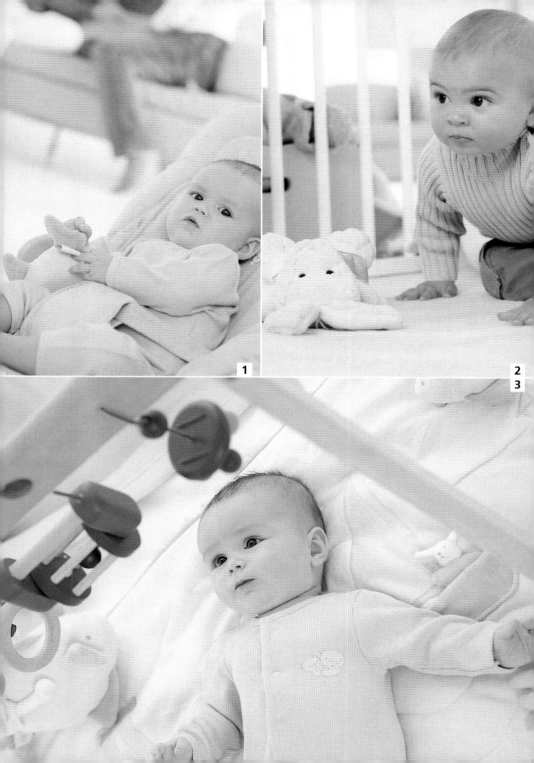

1

2
3

VOTRE BÉBÉ PLEURE : QUE FAIRE ?

VOILÀ QUE VOTRE BÉBÉ PLEURE TOUTES LES LARMES DE SON CORPS ET QUE VOUS NE PARVENEZ PAS À LE CALMER. TRUCS ET ASTUCES POUR ÉVITER DE PANIQUER ET POUR QU'IL RETROUVE CALME ET SÉRÉNITÉ.

ASSUREZ-VOUS QUE TOUT VA BIEN

Vous avez couché bébé dans son lit, mais il pleure depuis de longues minutes. Certains enfants, quand ils sont énervés, ont besoin de décharger de la sorte leur tension nerveuse pour trouver le sommeil. Si les pleurs se prolongent quelques minutes, allez jusqu'à sa chambre et regardez discrètement si tout va bien : le tour de lit est-il bien positionné ? N'est-il pas coincé entre les barreaux ? Sa peluche le gêne-t-il ? Pour le calmer, actionnez son mobile ou sa boîte à musique, et déposez un petit bisou sur sa joue.

PRENEZ-LE DANS VOS BRAS

Rien n'y fait ? Inutile de laisser votre bébé s'époumoner dans son petit lit. Il a sans doute besoin d'être rassuré, ou il est trop énervé, ou encore il n'a pas envie de dormir pour l'instant **(1)** ! Prenez-le dans vos bras pour lui faire un câlin, parlez-lui doucement, chantez-lui une berceuse, marchez dans la pièce pour lui changer les idées.

BERCEZ VOTRE BÉBÉ

Votre bébé contre vous, maintenez-le en glissant un bras sous ses fesses. Reposez sa tête dans le creux de votre cou. Bercez-le en bougeant de droite à gauche et de gauche à droite. De votre main libre, massez-lui doucement le dos **(2)**.

VÉRIFIEZ QUE SA COUCHE EST PROPRE

Avant toute chose, vérifiez que sa couche est propre et sèche ; une couche sale peut provoquer des sensations désagréables et des irritations. Procédez au change si nécessaire.

S'IL A MAL AU VENTRE

Allongez votre enfant sur le ventre le long de votre avant-bras et de votre main ; de votre main libre, massez-lui doucement le ventre **(3)**. Vous pouvez aussi l'allonger dos contre vous, sa tête reposant sur votre avant-bras et la main sur son ventre, l'autre main glissée entre ses jambes, pour le soutenir au niveau du ventre. Massez-le doucement.

S'IL EST ÉNERVÉ

Prenez votre enfant dans les bras, collez son dos contre votre poitrine et passez une main par devant, entre ses jambes. De l'autre, massez-lui le ventre, les cuisses, les bras, et le cuir chevelu.

RIEN NE LE CALME ?

Allongez votre enfant sur le matelas à langer ou sur le lit. Versez quelques gouttes d'huile d'amandes douces dans vos paumes et massez-lui les bras, les jambes, les paumes des mains, la plante de pieds (cf. p. 48 « Les massages »).

1

2
3

> Le cri est son langage

Un bébé pleure parce qu'il essaie de transmettre un message. Un bébé peut pleurer pour toutes sortes de raisons, pas toujours faciles à analyser : parce qu'il a faim ou soif, parce que sa couche est sale, parce qu'il a mal quelque part, parce qu'il est fatigué et ne parvient pas à trouver le sommeil, parce qu'il est énervé, parce qu'il a trop chaud ou trop froid, ou encore parce qu'il est malade. Il est difficile d'interpréter les pleurs d'un tout-petit mais mieux vous le connaîtrez, mieux vous réussirez à répondre à sa demande.

Ne pensez jamais que vous êtes de mauvais parents parce que votre bébé pleure à longueur de journée et que vous n'arrivez pas à le calmer. Entre 10 % et 20 % des bébés pleurent exagérément, en tout cas plus que la normale. Il n'y a donc pas lieu de vous inquiéter et de culpabiliser !

VOTRE BÉBÉ A PEUT-ÊTRE FAIM...

L'heure du biberon approche mais le repas n'est pas encore prêt ? Proposez à votre enfant votre petit doigt à téter, ou donnez-lui une tétine pour le faire patienter **(1)**. Il se peut qu'il ait juste envie de téter : la sucette assouvira ainsi son besoin de succion.

... OU SOIF

Un biberon d'eau peut faire le bonheur des bébés assoiffés. Entre deux tétées, avant de dormir ou en cas de grosse chaleur, pensez à donner régulièrement de l'eau à votre bébé. Le fait de téter peut aussi le calmer et l'aider à trouver le sommeil.

IL N'A PAS ENVIE DE DORMIR

Si décidément rien n'y fait, prenez quelques minutes pour jouer avec votre enfant. Bien évidemment, choisissez des jeux calmes... Il n'est pas question de l'énerver davantage mais de lui apporter la quiétude en le distrayant.

MARCHEZ POUR LE BERCER

Faire les cent pas n'est pas la spécialité des militaires... les mamans pratiquent aussi ! Quand votre bébé est vraiment énervé, une petite marche peut l'aider à se calmer ; bercé par le balancement des pas, il se calmera et pourra même s'endormir.

INSTALLEZ-LE DANS LE PORTE-BÉBÉ

Vous devez vaquer à vos occupations mais votre bébé gesticule et pleure ? Installez-le dans votre porte-bébé (dorsal ou ventral, face à vous ou face au monde, selon son âge), et continuez ce que vous avez à faire **(2)**. À votre contact, et bercé par vos pas, bébé se calmera petit à petit.

PETITE BERCEUSE DANS LE TRANSAT

Installez-le dans son transat ou dans son siège coque (celui qui sert de siège auto : certains possèdent une option balancelle) et bercez-le doucement d'avant en arrière **(3)**. Autre solution : installez-le dans sa poussette et faites-la légèrement aller et venir pendant que vous lui parlez doucement... ou que vous lisez !

1

2

3

> Un bain salvateur

Souvent, un bon bain tiède est radical pour calmer les colères les plus noires. Même si votre bébé a déjà pris un bain dans la journée, offrez-lui un second moment dans l'élément liquide. Au contact de ce dernier, il retrouvera son calme et sa sérénité.

L'ART DU COUCHER

LA PRÉPARATION AU COUCHER EST UNE ÉTAPE IMPORTANTE DANS LA JOURNÉE D'UN BÉBÉ. EN FAIRE UN MOMENT DE PARTAGE TRANQUILLE ET TENDRE RASSURERA VOTRE ENFANT ET LUI PERMETTRA DE S'ENDORMIR DANS LES MEILLEURES CONDITIONS POSSIBLES. TOUS LES ÉLÉMENTS POUR METTRE EN PLACE UN RITUEL SÉCURISANT ET EFFICACE...

PRÉPAREZ LE BERCEAU OU LE LIT

Avant de coucher votre petit bout, assurez-vous que le drap housse est bien positionné, que l'alèse ne forme pas de faux plis et que le tout est rigoureusement propre et sec. Vérifiez aussi que le tour de lit en mousse soit fixé de manière efficace. À partir de 12 mois, un enfant peut avoir un drap et une couverture parce qu'il a assez de force pour les repousser s'ils viennent recouvrir son visage. Vérifiez enfin la propreté de l'ensemble, ainsi que la température de la pièce : elle doit osciller entre 19 °C et 20 °C.

HABILLEZ VOTRE BÉBÉ

Pour bien dormir sans avoir froid, votre bébé doit être revêtu d'un surpyjama ou d'une turbulette, bien plus sécurisants que la couverture qu'il risque de ramener inopinément sur la tête. Enfilez-lui en commençant par les pieds, puis asseyez-le pour enfiler les manches. Fermez le tout. Vérifiez bien les systèmes de fermeture (zip, boutons pressions…) et assurez-vous qu'il n'est pas trop serré au niveau de l'encolure.

FAITES-LUI UN PETIT CÂLIN...

Bébé est prêt ? Prenez-le dans les bras avec le sourire. Un dernier câlin, un bisou… C'est l'heure d'aller au lit ! Prenez votre temps afin que votre enfant n'ait pas le sentiment que l'on se débarrasse hâtivement de lui. Il se sentirait frustré, à raison, et risquerait de pleurer.

... ET COUCHEZ-LE

Allongez-le et positionnez-le dans son berceau, sur le dos **(1)**. C'est la position recommandée par les spécialistes de la petite enfance, afin d'éviter au maximum les risques d'accidents.

POUR LES TOUT-PETITS : LE CALE-BÉBÉ

Vous pouvez coucher votre bébé sur le côté et placer si besoin est de petites couvertures roulées ou un cale-bébé afin qu'il reste dans la bonne position **(2)**. En dormant, votre enfant risque de bouger, le cale-bébé permet de le maintenir en bonne position et d'éviter qu'il ne se retrouve sur le ventre.

UN BÉBÉ CONFORTABLEMENT INSTALLÉ

Une fois votre bébé installé, il prend le temps de retrouver son environnement : son lit, son mobile, éventuellement une petite peluche. Vérifiez encore que son surpyjama ne le gêne pas au niveau de l'encolure : il ne doit pas non plus être « boudiné » dans ses vêtements. Quand il fait bon, inutile de le revêtir d'un surpyjama.

> Attention aux risques d'étouffement

Le syndrome de mort subite du nourrisson est parfois dû à un étouffement du bébé, à cause d'un drap, d'un oreiller ou d'une couette. Ne mettez donc rien dans le lit de votre enfant qui soit susceptible de l'empêcher de respirer. Préférez la turbulette à la couette et bannissez les oreillers.

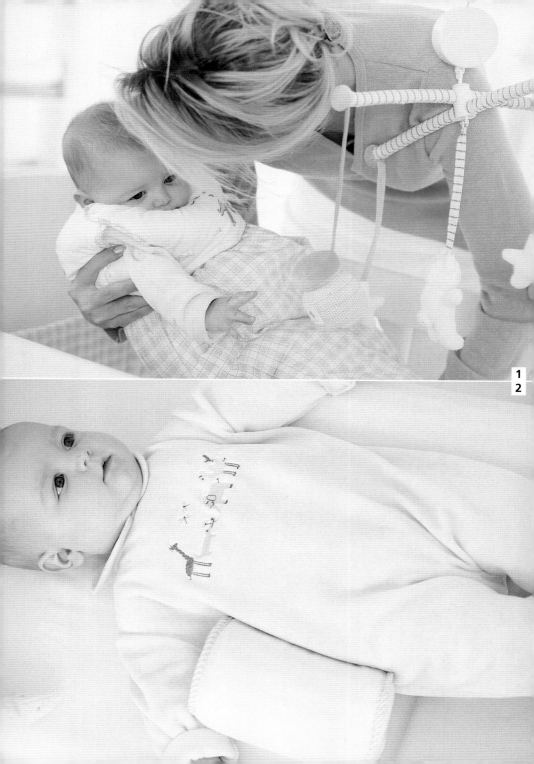

LE RITUEL DU COUCHER

Les rituels du coucher sont très importants pour un bébé : renouvelés au quotidien, ils lui permettent de s'endormir dans des conditions sécurisantes. Tous les soirs, chantez-lui une petite berceuse, ou procédez aux rituels de votre choix, afin que bébé appréhende ce moment comme un cocon de tendresse et de douceur.

UN COMPAGNON POUR DORMIR

À partir de 6 mois, vous pouvez placer dans le lit de votre bébé une peluche lavable pour lui tenir compagnie **(1)**. Attention aux peluches trop grandes ou trop petites, qui pourraient l'étouffer. Lavez cette peluche régulièrement pour éviter l'accumulation de poussière et d'acariens.

LE MOBILE QUI CALME

Suspendez au-dessus de son lit un mobile musical mécanique **(2)**, que vous remonterez au moment de quitter la chambre : votre bébé sera bercé par la musique douce… S'il pleure une fois que le mobile s'est arrêté, vous pouvez aller le remonter une nouvelle fois… mais n'en abusez pas !

UN PETIT BISOU

Voici venu le moment de se séparer : une caresse, un sourire, un dernier petit baiser avant de quitter la chambre… jusqu'à tout à l'heure ou au lendemain matin. Vous pouvez bien entendu continuer à actionner le mécanisme de sa boîte à musique avant de quitter la pièce.

À TOUT À L'HEURE !

Éclipsez-vous au vu et au su de votre bébé : il doit vous voir partir. Si vous quittez les lieux en catimini, il pourra être angoissé par cette brutale disparition. Il doit apprendre dès maintenant à appréhender les séparations, même si elles sont de courte durée.

> Le doudou

Le besoin de doudou apparaît vers 8 mois, parfois avant, chez la plupart des bébés (mais pas tous, certains n'en auront jamais). Il s'agit généralement d'un chiffon, d'une poupée, d'une peluche… qui devient ce que l'on appelle « l'objet transitionnel ». Il assure la présence de la mère pendant l'absence de celle-ci et l'aide à supporter la séparation. Certains enfants gardent leur doudou très tard, puis s'en séparent d'eux-mêmes progressivement.

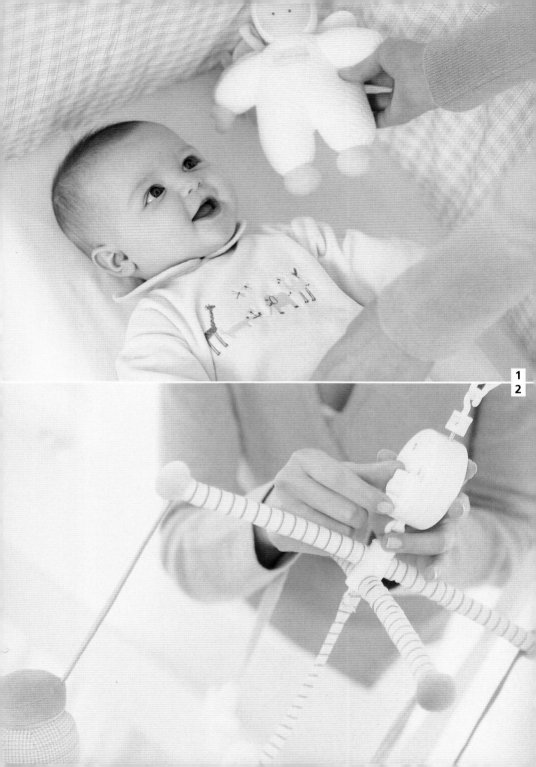

1

2

sortir avec votre bébé

LE PORTE-BÉBÉ VENTRAL

DE PLUS EN PLUS PLÉBISCITÉ PAR LES JEUNES PARENTS, LE PORTE-BÉBÉ VENTRAL EST LE PLUS PRATIQUE DES MODES DE TRANSPORT POUR UN BÉBÉ ENCORE PETIT. IL S'AGIT EN GÉNÉRAL D'UN ENSEMBLE SOUPLE, RENFORCÉ AU NIVEAU DE LA NUQUE ET PARFOIS DU DOS POUR UN MAINTIEN MINIMUM.

ENFILEZ LE PORTE-BÉBÉ

Chez vous, manipulez plusieurs fois le porte-bébé afin de connaître parfaitement son fonctionnement et de vous assurer de sa sécurité. Vous aurez ainsi plus de facilité à le mettre et à l'ôter, à installer bébé dedans et à l'en « libérer ». Vérifiez bien les sangles, les attaches, regardez bien si rien ne dépasse susceptible de blesser votre enfant. Enfilez le porte-bébé en suivant les instructions du fabricant. Fixez les attaches et les sangles qui doivent l'être avant d'installer votre bébé dedans. Vérifiez bien la solidité de l'installation.

INSTALLEZ-Y VOTRE BÉBÉ

Prenez votre enfant dans les bras. Glissez-le dans le porte-bébé en le soulevant par les aisselles et en le soutenant sous les fesses **(1)**. Refermez le porte-bébé à l'aide des pressions, boutons, sangles… ou de tout autre accessoire, différent selon les modèles.

AJUSTEZ LES SANGLES

Réglez les sangles, boucles et bretelles, de manière à ce que votre bébé soit confortablement installé, c'est-à-dire porté assez haut sur votre poitrine, et non contre votre estomac **(2)**. Sa tête doit être correctement soutenue, soit par un dispositif prévu à cet effet, soit par votre main. Tant que votre bébé ne sait pas bien tenir sa tête, c'est-à-dire avant l'âge de deux ou trois mois, il faut l'aider à la maintenir pour éviter une trop grande fatigue de sa nuque. Une fois que votre enfant est confortablement installé et que vous avez vérifié tous les dispositifs de sécurité, enfilez votre manteau (vous pouvez même le refermer autour de votre bébé s'il fait froid, en veillant bien entendu à ce qu'il puisse respirer librement), et vaquez à vos occupations.

UN REGARD SUR LE MONDE

Certains modèles sont prévus pour une utilisation « face à la route », c'est-à-dire que le dos de l'enfant repose contre votre thorax **(3)**. D'autres proposent les deux versions. Cette position « face au monde » est intéressante quand le bébé est un peu plus grand (3/4 mois) et dévore des yeux tout ce qui se passe autour de lui !

POUR LE SORTIR DU PORTE-BÉBÉ

Asseyez-vous confortablement, ouvrez la devanture du porte-bébé, desserrez les sangles et extirpez bébé en le maintenant par les aisselles et en le tirant vers le haut pour dégager ses petites jambes.

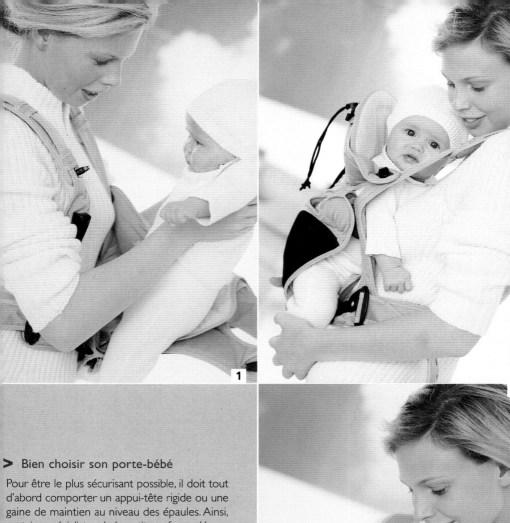

1

2
3

> Bien choisir son porte-bébé

Pour être le plus sécurisant possible, il doit tout d'abord comporter un appui-tête rigide ou une gaine de maintien au niveau des épaules. Ainsi, certains spécialistes de la petite enfance déconseillent l'utilisation de ce mode de transport avant l'âge de deux ou trois mois, âge avant lequel le petit dos de bébé est encore fragile et où il ne sait pas encore bien maintenir sa tête. Une ceinture de sécurité et des bretelles larges et confortables seront aussi appréciables. Pensez enfin à en choisir un qui se lave en machine.

LE PORTE-BÉBÉ DORSAL

LE PORTE-BÉBÉ DORSAL EST DESTINÉ AUX ENFANTS ÂGÉS DE PLUS DE 6 MOIS, DEVENUS TROP LOURDS POUR LE PORTE-BÉBÉ VENTRAL ET QUI TIENNENT DÉJÀ ASSIS. IL EST TRÈS PRATIQUE POUR EMMENER VOTRE ENFANT PARTOUT OÙ LA POUSSETTE EST ENCOMBRANTE.

VÉRIFIEZ LE DISPOSITIF

Avant toute chose, vérifiez la stabilité du porte-bébé dorsal quand il est posé sur le sol avant d'y poser votre bébé. Vérifiez que les sangles, bretelles et boucles sont bien verrouillées.

ADAPTEZ-VOUS AU TEMPS QU'IL FAIT

N'oubliez pas d'habiller votre enfant en fonction du temps, de bien vérifier, en hiver, que ses petits mollets sont couverts. En été, optez pour un pare-soleil, bien pratique.

INSTALLEZ VOTRE BÉBÉ

Prenez votre enfant dans les bras. Glissez-le dans le porte-bébé posé sur le sol. Procédez aux réglages : votre bébé ne doit pas être trop serré ni trop libre de ses mouvements. Faites ces réglages avec soin de manière à ne prendre aucun risque.

HISSEZ LE PORTE-BÉBÉ SUR VOTRE DOS

Installez doucement le porte-bébé sur votre dos, calez-le bien, réglez les bretelles pour votre confort et celui de votre enfant, et fermez la ceinture ventrale qui maintient le porte-bébé solidaire à votre corps. Votre bébé ne pouvant pas voir votre visage, parlez-lui pour le rassurer, au moins les premières fois.

> ### Les porte-bébés dorsaux sans armatures

Il existe aujourd'hui des porte-bébés dorsaux sans armatures métalliques, qui leur donnent une légèreté exceptionnelle. Ils possèdent généralement des bretelles larges et confortables, qui offrent un grand confort au porteur ou à la porteuse.
La facilité de rangement est évidente grâce à son moindre encombrement (maman et papa peuvent l'emmener partout, en vacances, en week-end…).
La facilité d'utilisation est réelle puisque, une fois que bébé est positionné à l'intérieur et sanglé, il n'y a qu'une seule boucle de sécurité à fermer. Le bébé bénéficie d'une assise confortable et réglable, d'un bon maintien de son dos, d'un champ de vision important, pour découvrir le monde qui l'entoure.

> ### Les détails qui font la différence

Certains porte-bébés sont munis de poches fonctionnelles de rangement pour la sucette ou le portable, qui sont très faciles d'accès. Choisissez également un modèle muni d'un pare-soleil qui, en cas de mauvais temps, pourra aussi protéger votre enfant de la pluie.

LE LANDAU

LES SPÉCIALISTES DE LA PETITE ENFANCE CONSEILLENT DE PLACER LES ENFANTS DE MOINS DE 5 MOIS DANS UN LANDAU ET NON DANS UNE POUSSETTE POUR PROTÉGER LEUR DOS ENCORE FRAGILE QUI DEMANDE UN MAINTIEN FERME.

PRÉPAREZ LE LANDAU

Au fond du landau, placez un matelas aux dimensions de la nacelle. Disposez une alèse pour éviter de salir le matelas en cas de petites fuites ou de régurgitations et positionnez ensuite un drap-housse – vous pouvez également utiliser une grande taie d'oreiller dans laquelle vous aurez glissé le matelas. Un drap plat et une couverture donneront une dernière touche de confort à la nacelle.

INSTALLEZ-Y VOTRE BÉBÉ

Habillez votre bébé selon la saison et prenez-le dans vos bras pour le déposer doucement dans son landau. L'hiver, il est conseillé de le protéger avec une combinaison dite « pilote » ; l'été, une tenue plus légère est préconisée. Sachez que les mains froides chez un bébé ne doivent pas être interprétées automatiquement comme un signe de refroidissement. Si vous voulez vérifier que votre enfant n'a pas froid, passez plutôt un doigt dans son col ; s'il est tiède, il n'y a pas lieu de vous inquiéter. Allongez votre bébé sur le dos et calez-le éventuellement avec de petites couvertures roulées ou un cale-bébé vendu dans les magasins spécialisés **(1)**.

COUVREZ-LE

Maintenant que bébé est bien installé, rabattez le drap et les couvertures jusqu'aux épaules. Bordez-le bien, mais pas trop serré pour qu'il puisse être libre de ses mouvements. Remontez la housse du landau jusqu'en haut, surtout en cas de froid ou d'intempéries.

RÉGLEZ LA CAPOTE

Disposez la capote du landau de manière à ce que votre bébé soit protégé du soleil, du vent et de la pluie. **(2)** Par temps gris, peu lumineux, ou s'il ne fait pas trop froid, vous pouvez rabattre la capote vers l'arrière afin que bébé puisse jouir pleinement du paysage.

> **Faut-il sortir votre bébé tous les jours ?**

Si l'heure de la promenade est l'un des moments préférés des bébés, elle est également très importante pour le moral des mamans. Mais si votre bébé est enrhumé, qu'il fait très froid, que le temps est venteux ou qu'un pic de pollution a été signalé, mieux vaut rester chez vous. Profitez de ce moment pour vous livrer avec lui à son jeu préféré, lui apprendre de nouvelles activités ou tout simplement pour faire de gros câlins. Pour le détendre, avant de le coucher, prolongez le temps du bain afin d'éliminer les tensions qui auront pu être engendrées par le fait de rester enfermé toute la journée.

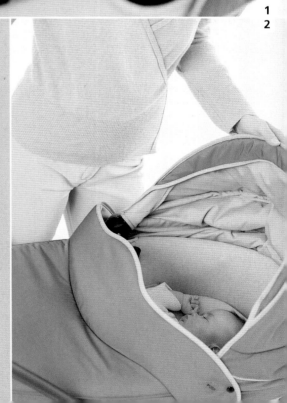

LA POUSSETTE PREMIER ÂGE

QUAND VOTRE BÉBÉ ATTEINT LES 5 MOIS, VOUS POUVEZ REMPLACER LA NACELLE DU LANDAU PAR CELLE DE LA POUSSETTE, OU TRANSFORMER LA NACELLE DU LANDAU EN POUSSETTE (DE NOMBREUSES MARQUES PROPOSENT CE COMBINÉ). ASSIS DANS SA POUSSETTE, VOTRE ENFANT SERA RAVI D'ADMIRER LE PAYSAGE ET DE S'ÉVEILLER AU MONDE EXTÉRIEUR.

INSTALLEZ VOTRE BÉBÉ

Commencez par habiller votre bébé en fonction du temps et de la température. S'il fait froid, préférez un bonnet à la capuche (qui laisse passer l'air), mettez-lui des moufles et une écharpe, et pensez à recouvrir ses pieds avec la capote ou à les emmitoufler dans une couverture. Vérifiez enfin qu'il n'a ni les mollets, ni les poignets à l'air. Les housses qui servaient en position landau sont généralement adaptables sur la nacelle transformée en poussette : remontez-les jusqu'aux épaules de votre enfant, ce qui le protégera du froid et l'empêchera de trop remuer. Veillez d'ailleurs à attacher votre enfant avec le dispositif prévu à cet effet afin d'éviter tout risque de chute (1).

CONTEMPLER LE MONDE...

Dès 5 ou 6 mois, votre bébé peut tenir assis dans son combiné poussette (2) : ce dernier n'est plus guère utilisé en landau, sauf si bébé s'endort en cours de promenade et que vous souhaitez l'allonger pour qu'il soit plus à l'aise. Le reste du temps, il peut profiter du paysage et de tout ce qui se passe autour de lui. Profitez-en pour lui décrire tout ce que vous voyez, pour attirer son attention sur ce qui l'entoure et pour le distraire. Si la promenade lui semble un peu longue, présentez-lui des jouets que vous aurez pris soin d'attacher aux montants de la poussette.

DES ACCESSOIRES INDISPENSABLES

Pour réussir vos déplacements, vous devez vous équiper des accessoires incontournables. Un grand sac de toile à accrocher à la poignée de la poussette vous permettra d'y fourrer couches propres, lingettes, biberons, change... Un panier métallique, situé sous la poussette, est bien pratique pour aller au supermarché sans s'alourdir d'un cabas. Quant aux jouets que vous accrocherez aux montants de la poussette, ils permettront à bébé de se distraire si la promenade lui semble un peu longue. Enfin, ayez toujours sous la main un dispositif (capote, « bulle » transparente) pour empêcher la pluie de gâcher votre promenade.

> La poussette canne

À partir de 12 mois, la poussette-canne se révèle être particulièrement pratique ; en balade à la campagne, vous la sortirez du coffre pour parcourir avec votre enfant les chemins de traverse. En ville, elle vous permettra d'asseoir votre enfant fatigué par un temps trop long de shopping. Bien pliée en bas de l'escalier de votre immeuble ou dans l'entrée de votre maison, elle prendra un minimum de place pour un maximum de service. Toutefois, choisissez toujours un modèle possédant une armature suffisamment rigide pour soutenir correctement le dos de votre enfant.

EN VOITURE

LA PLUPART DES BÉBÉS RAFFOLENT DES VOYAGES EN VOITURE QUI ONT TENDANCE À LES CALMER, VOIRE À LES ASSOUPIR… CHOISISSEZ UN DISPOSITIF ADAPTÉ À L'ÂGE ET AUX BESOINS DU VÔTRE.

LE LIT NACELLE

Les tout-petits peuvent faire tranquillement leur sieste dans un lit nacelle, installé sur la banquette arrière, parallèlement au dossier, et fixé aux points d'ancrage des ceintures de sécurité **(1)**. Un harnais ou un filet de sécurité permet à l'enfant de ne pas être expulsé en cas de choc. Certaines nacelles de landau sont directement transformables en lit auto.

LE SIÈGE AUTO « DOS À LA ROUTE »

Vous pouvez également installer votre bébé dans un siège auto « dos à la route » (groupe 0) **(2)**, qui convient pour les enfants de moins de 9 kg, de la naissance à 9 mois environ. Cela vous permet de garder votre bébé à côté de vous. Le siège auto est arrimé au fauteuil de la voiture par les points d'attache de la ceinture de sécurité. Il faut alors désactiver le dispositif airbag passager, quand il existe, afin d'éviter le déclenchement du système en cas de choc. Ce type de siège auto peut également être placé sur la banquette arrière. C'est peut-être un peu moins convivial pour vous et votre bébé que l'installation à l'avant… À vous de choisir selon vos contraintes et ses préférences.

LE SIÈGE BAQUET

Pour les enfants plus grands, capables de bien tenir assis tout seuls, installez à l'arrière de votre voiture un siège auto de groupe 1, destiné aux enfants de 9 kg à 18 kg ; il en existe deux grandes catégories : les sièges baquets, dotés d'un harnais de protection, et les sièges à réceptacle, avec tablette de protection **(3)**. Leur harnais de sécurité présente 3 ou 5 points d'ancrage.

LE « COSY » : DE LA POUSSETTE À

L'AUTO

Le siège auto ou siège coque est vendu avec certains combinés : il s'attache, grâce à un kit de fixation, sur la structure des roues du landau-poussette. Arrivée à votre voiture, détachez le siège coque de l'appareillage du landau, saisissez-le par son anse et disposez-le à l'endroit de votre choix (siège avant ou banquette arrière) **(4)**. Arrimez-le aux points d'ancrage de la ceinture de sécurité. Vous n'avez plus qu'à plier l'appareillage et à le ranger dans le coffre de votre voiture, tout en gardant un œil sur votre bébé.

> ### Les précautions à prendre

- Pensez à installer un cale-tête gonflable ou en mousse aux tout-petits afin que leur tête ne soit pas ballottée pendant le trajet. Une serviette de toilette roulée fait aussi très bien l'affaire.
- Protégez votre enfant du soleil avec un pare-soleil ou une serviette-éponge humide coincée dans la fenêtre en cas de grosse chaleur.
- Arrêtez-vous régulièrement pour aérer l'habitacle de la voiture et faire prendre l'air à votre enfant.
- À l'inverse, méfiez-vous des fenêtres ouvertes qui peuvent créer un trop fort courant d'air ou faire entrer dans la voiture poussières ou insectes. Couvrez suffisamment votre enfant pour qu'il ne prenne pas froid.
- Veillez à régler les bretelles du harnais à la taille de votre enfant, faute de quoi la protection s'avérera inefficace. Votre bébé doit être maintenu au niveau des hanches et non de l'abdomen.
- Ne posez jamais d'objets lourds sur la plage arrière ou à côté de votre bébé. Un coup de frein ou de volant peut les faire glisser et blesser votre enfant.

1
3

2
4

les petits soins

LES SOINS DE L'OMBILIC

QUELQUES MINUTES APRÈS LA NAISSANCE DE VOTRE ENFANT, LA SAGE-FEMME A COUPÉ LE CORDON OMBILICAL QUI VOUS RELIAIT, PUIS PINCÉ CE QU'IL EN RESTAIT À UN CENTIMÈTRE ENVIRON DE CE QUI DEVIENDRA LE NOMBRIL. LE PETIT MORCEAU DE CORDON VA SE DESSÉCHER NATURELLEMENT, PUIS TOMBER APRÈS UNE SEMAINE ENVIRON.

PRÉPAREZ LE MATÉRIEL

Pour éviter tout risque d'infection, vous devez nettoyer quotidiennement l'ombilic. Lavez-vous soigneusement les mains. Rassemblez autour de la table à langer le matériel dont vous aurez besoin : éosine, sérum physiologique, compresses stériles, enfin gaze et sparadrap antiallergique (facultatif).

NETTOYEZ L'OMBILIC

Imprégnez une compresse stérile de sérum physiologique. Nettoyez d'abord soigneusement le contour de l'ombilic, afin de le débarrasser des éventuelles traces d'éosine séchée et des impuretés, puis changez de compresse et nettoyez la cicatrice elle-même, plusieurs fois, jusqu'à ce que la compresse ne ramène plus d'impuretés **(1)**. Jetez les compresses utilisées.

Les premiers jours, l'ombilic peut suinter légèrement. Les jours suivants, il s'assèche. Si son pourtour devient enflé et rouge, il peut y avoir une petite infection : parlez-en à votre médecin.

> **La hernie ombilicale**

Certains bébés ont un nombril qui fait saillie. Cette saillie augmente de volume quand il pleure : c'est la hernie ombilicale. Dans la plupart des cas, cette hernie disparaît spontanément au bout d'un an ou deux. Mais dans certains cas (le renflement persiste ou est très important), une petite intervention est conseillée. En cas de doute, consultez votre médecin.

DÉSINFECTEZ À L'ÉOSINE

Versez ensuite sur l'ombilic de bébé quelques gouttes d'éosine en unidose ou de chlorhexidine en solution à 0,05 ou 1 %. Placez un mouchoir en papier ou une compresse au-dessous afin que l'éosine ne coule pas le long de son petit ventre. Ôtez le surplus avec la compresse, puis laissez sécher quelques instants à l'air libre. Il faut savoir que ce geste simple n'est absolument pas douloureux pour votre enfant. Jetez l'unidose et la compresse.

PROTÉGEZ L'OMBILIC

Placez alors une compresse sèche et stérile sur l'ombilic. Maintenez-la par deux morceaux de sparadrap antiallergique ou par une bande ombilicale (filet) pas trop serrée **(2)**.

Vous pouvez mettre une couche propre à votre bébé : son ombilic est bien protégé. Veillez toutefois à ce que la couche ne monte pas jusqu'au nombril, afin de protéger ce dernier des éventuels contacts avec l'urine. Entre deux changes, laissez le plus possible l'ombilic à l'air libre pour hâter la cicatrisation. Dans certaines maternités, on conseille de ne pas recouvrir l'ombilic désinfecté d'une compresse tenue par du sparadrap, ceci pour les mêmes raisons.

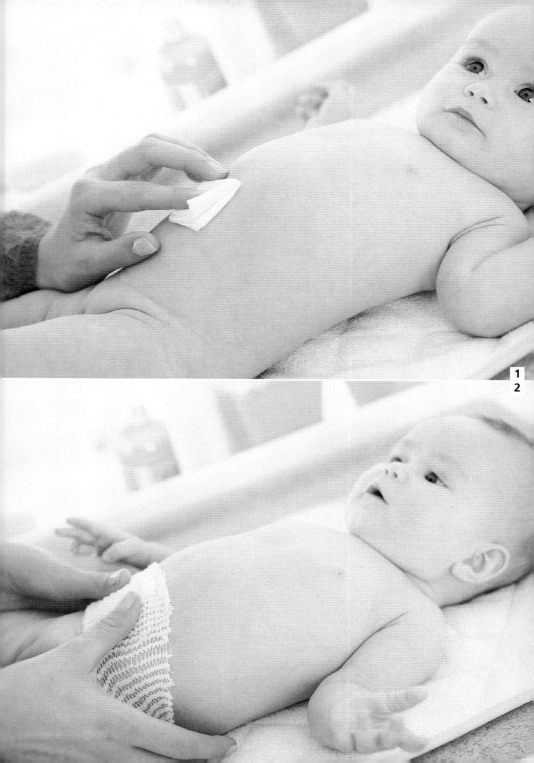

COUPER LES ONGLES

SAUF SI LES ONGLES SONT VRAIMENT LONGS, ET QUE VOTRE BÉBÉ RISQUE DE SE GRIFFER, IL EST DÉCONSEILLÉ DE LES COUPER AVANT L'ÂGE D'UN MOIS. POUR LA SUITE, VOICI QUELQUES CONSEILS POUR NE PLUS CRAINDRE D'EFFECTUER CETTE OPÉRATION DÉLICATE !

PRÉPAREZ VOTRE MATÉRIEL

Munissez-vous de petits ciseaux à ongles à bouts ronds, qui ne serviront qu'à cette tâche et seront réservés à votre enfant. Il existe aussi des coupe-ongles pour enfants. Désinfectez les lames soigneusement. Installez votre bébé confortablement sur vos genoux, et entourez-le par la taille de votre bras gauche (pour les droitières).

COMMENCEZ PAR LE POUCE

Munissez-vous des petits ciseaux et saisissez la main de votre bébé. Si vous avez peur de le blesser, mettez une petite compresse sous le premier doigt, pour protéger le reste de la main en cas de geste brusque de sa part. Commencez par couper l'ongle du pouce, pas trop court (c'est douloureux et cela risquerait de provoquer une irritation) en lui donnant une forme arrondie.

AU TOUR DES AUTRES DOIGTS

Prenez ensuite la main de votre enfant entre votre pouce et votre index. Votre bébé va allonger ses doigts ; procédez alors à la coupe de chaque ongle, comme vous l'avez fait pour le pouce. Quand l'ongle d'un doigt a été coupé, placez le petit doigt à l'intérieur de votre main ou replacez la compresse pour éviter les incidents et effectuer un travail précis (1). Ne touchez pas aux petites peaux (ne les coupez pas), cela pourrait provoquer une infection.

LES ONGLES DES PIEDS

Les ongles des pieds poussent généralement moins vite que ceux des mains. Néanmoins, ils demandent le même type d'entretien (2). Seule différence : soyez particulièrement vigilante afin de ne pas entailler la petite peau qui peut recouvrir partiellement les deux côtés de l'ongle. Ne coupez pas à ras, mais laissez comme pour les mains une petite marge blanche, dite « partie libre de l'ongle ».

ET SI VOUS NE VOUS EN SORTEZ PAS...

Vous pouvez couper les ongles de votre bébé... quand il dort ! Cette méthode convient bien aux enfants très toniques, qui gesticulent pendant leur mini manucure. La période de la digestion, pendant laquelle votre bébé est un peu assoupi, est idéale également.

Si vous avez vraiment peur de mal faire ou que vous éprouvez une appréhension, demandez au personnel de la maternité ou aux éducatrices travaillant au centre de PMI (Protection Maternelle et Infantile) de votre secteur de vous montrer comment procéder.

> ## Les moufles de protection

Il existe des moufles de protection, très utiles dans les premiers jours de la vie de bébé, lorsque celui-ci est trop jeune pour qu'on lui coupe les ongles. Toutefois, l'utilisation des moufles n'est pas à prolonger, car nombreux sont les bébés qui ont besoin de téter leurs doigts pour se calmer, se rassurer, ou tout simplement s'entraîner à la succion.

COUPER LES CHEVEUX

Si votre enfant a les cheveux qui poussent rapidement, vous pourrez avoir envie de les lui couper. Pour l'instant, nul besoin d'aller chez le coiffeur : saisissez-vous d'une petite brosse, d'un peigne et de bons ciseaux et, en suivant ces conseils, vous devriez arriver à un résultat satisfaisant.

MOUILLEZ LES CHEVEUX

Placez à portée de votre main le matériel nécessaire : serviette de toilette, ciseaux à bouts ronds, brosse à poils doux et peigne. Si votre bébé se tient déjà assis, vous pouvez l'installer dans sa chaise haute. Sinon, allongez-le sur la table à langer. À l'aide d'un brumisateur à pompe rempli d'eau tiède (comme ceux que l'on utilise pour vaporiser les plantes vertes) ou d'un gant de toilette, humectez la chevelure de votre enfant. Veillez à ce que les cheveux ne soient pas trempés mais juste humidifiés. Essuyez les petites gouttes susceptibles de couler dans le cou de votre bébé.

DISCIPLINEZ LA CHEVELURE

À l'aide de la brosse, démêlez grossièrement les cheveux de votre enfant. Fignolez au peigne en commençant par le sommet du crâne et en lissant bien les longueurs, afin de mettre en évidence les pointes à supprimer. Terminez par les côtés et la nuque.

COUPER LES MÈCHES DE DEVANT

Commencez par les cheveux de devant et du haut du crâne. Saisissez une mèche à raccourcir entre votre index et votre majeur, en l'éloignant du crâne de votre enfant, afin de ne pas le blesser s'il venait à faire un geste brusque ou inattendu. Laissez dépasser la partie à couper de vos doigts tendus en pince. Sectionnez ce qui dépasse, d'un geste franc. **(1)** Procédez de même pour les autres mèches.

CONTINUEZ PAR LES CÔTÉS

De la main gauche, rabattez le pavillon de l'oreille de votre bébé vers l'avant, en maintenant fermement mais doucement la tête de votre bébé. De l'autre main, coupez les petits cheveux trop longs qui lui tombaient sur l'oreille, en arrondi afin de suivre le profil naturel du pavillon.

TERMINEZ PAR LA NUQUE

Placez-vous derrière votre bébé. Rediscipilinez les cheveux de sa nuque en étirant les longueurs, de la main gauche, à l'aide du peigne. Éloignez le peigne du crâne de votre enfant. De la main droite, coupez les petits cheveux qui vous paraissent superflus, mèche par mèche. Peignez encore pour lisser la chevelure, puis égalisez les éventuelles irrégularités. Vérifiez l'ensemble de la coupe, rectifiez si nécessaire. Séchez la chevelure de votre bébé à l'aide d'une serviette de toilette. Coiffez-le enfin avec une petite brosse à poils doux **(2)**.

ADMINISTRER UN MÉDICAMENT

Lorsqu'un enfant est malade, il peut paraître effrayant de dispenser les soins appropriés : faire avaler un médicament ou mettre des gouttes dans les oreilles se transforme parfois en calvaire ! Quelques règles pour avoir des gestes précis et sûrs.

PRENDRE LA TEMPÉRATURE

Poser la main sur le front de l'enfant n'est absolument pas fiable – plus vous aurez les mains froides, plus votre bébé vous paraîtra chaud – et évitez le thermomètre frontal, qui ne vous donnera qu'un résultat très approximatif. La meilleure solution est la prise de température avec un thermomètre rectal. Allongez votre enfant sur le dos, soulevez ses jambes d'une main et introduisez de l'autre l'embout du thermomètre dans son anus. Vous pouvez l'enduire auparavant d'une crème grasse ou de vaseline pour éviter de lui faire mal. Après 2 minutes, vous pourrez lire la température.

Le thermomètre auriculaire, utilisé en milieu hospitalier, est rapide, mais reste plus onéreux et reste peu fiable pour les tout-petits **(1)**.

METTRE DES GOUTTES DANS LE NEZ...

Il est fondamental, avant d'instiller des gouttes dans le nez de bébé, de nettoyer scrupuleusement chaque narine. Vous pouvez employer deux procédés ayant fait leurs preuves : vous pouvez par exemple confectionner une mouchette en enroulant sur elle-même une compresse non pelucheuse afin d'obtenir une petite tige que vous imbiberez de sérum physiologique. Si son nez est très encombré, optez pour la deuxième solution : utilisez un mouche-nez ou mouche-bébé (en vente en pharmacie ou dans les magasins de puériculture) après avoir instillé du sérum physiologique dans chaque narine. Ôtez ensuite l'excédent de mucosités situées à l'extérieur du nez avec un disque de coton non pelucheux imbibé de sérum physiologique. Séchez bien.

Allongez votre bébé sur le dos pour instiller les gouttes dans chaque narine **(2)**. Redressez-le ensuite en position assise. Il se peut que votre bébé éternue et évacue ces premières gouttes, accompagnées de mucosités. C'est pourquoi il est conseillé de rincer le nez au sérum physiologique avant d'instiller le médicament. Vous pouvez aussi asseoir votre bébé et administrer les gouttes dans cette position, en appuyant sur le flacon ou sur la pompe.

... ET DANS LES OREILLES

Allongez votre bébé sur la table à langer. S'il gesticule, maintenez sa tête doucement mais fermement afin que le pavillon de son oreille soit placé juste en face de votre visage. Introduisez l'embout du flacon de gouttes dans l'orifice de l'oreille, sans l'enfoncer. Maintenez bien la tête de votre bébé et instillez les gouttes en respectant scrupuleusement le mode d'emploi et la posologie. Votre enfant doit garder la tête sur le côté (aidez-le en maintenant sa tête avec vos mains, pour éviter qu'il se blesse) le temps que les gouttes coulent au fond de la cavité **(3)**. C'est dans ces conditions que le traitement pourra s'avérer efficace.

Quand l'opération est terminée, asseyez votre bébé et essuyez les gouttes qui auraient pu couler du pavillon à l'aide d'un disque en coton ou d'une compresse.

1

2
3

> Que faut-il faire en cas de fièvre ?

S'il s'agit d'une température inférieure à 38 °C qui ne s'accompagne pas d'autres symptômes, ce n'est pas grave. En revanche, en cas de température plus élevée, il faut toujours essayer de faire baisser la fièvre en attendant le médecin. Commencez par découvrir votre bébé et par le faire boire pour lui éviter tout risque de déshydratation. Vous pouvez également le baigner dans une eau de 2 °C inférieure à sa température, en mouillant sa tête et en ramenant progressivement l'eau du bain à 37 °C. Le bain ne doit pas durer plus de 10 minutes Enfin, vous pouvez orienter un ventilateur vers votre enfant.

NETTOYER LES YEUX...

Avant d'instiller le collyre, vous devez nettoyer soigneusement chaque œil avec une compresse ou un disque de coton non pelucheux imbibé de sérum physiologique (cf. p. 42). Utilisez un coton différent pour chaque paupière, afin de ne pas contaminer l'autre œil. Le mouvement se fera de l'intérieur vers l'extérieur de l'œil pour éviter tout risque de boucher le canal lacrymal avec les sécrétions.

... AVANT D'INSTILLER UN COLLYRE

Pour instiller un collyre dans l'œil de bébé, vous devez veiller à écarter délicatement les deux paupières, et à bien maintenir sa tête, pour deux raisons : d'abord, votre bébé pourrait se blesser avec l'embout du flacon de collyre en faisant un geste brusque ; ensuite, la (ou les) goutte(s) risquent de tomber à côté de l'œil. De la main gauche, soutenez donc doucement mais fermement la tête de votre bébé, tout en maintenant son œil ouvert avec deux de vos doigts, en tirant légèrement sur les paupières, vers le haut et vers le bas. Instillez alors le collyre d'un geste prompt et déterminé **(1)**.

DONNER UN SIROP À LA CUILLÈRE...

La petite cuillère classique n'est pas idéale pour administrer un sirop. Les laboratoires pharmaceutiques l'ont bien compris, puisqu'ils fournissent avec les flacons de médicaments d'autres outils : la cuillère graduée et la pipette. Pour utiliser la première, remplissez-la de sirop en respectant la prescription médicale, puis asseyez votre bébé. Faites-lui alors boire doucement le liquide en posant le bord de la cuillère perpendiculairement sur sa lèvre inférieure **(2)**. En général, le goût sucré du sirop plaît aux enfants. Si ce n'est pas le cas du vôtre, mélangez le remède à son biberon pour lui faire avaler plus facilement (cf. encadré page ci-contre).

... OU À LA PIPETTE

Autre procédé : la pipette, que vous remplissez en pompant directement dans la bouteille de sirop. Introduisez ensuite l'embout de la pipette dans la bouche de votre enfant et appuyez progressivement sur la pompe, de manière à ce que votre bébé puisse avaler le liquide à son rythme.

> Mettre un suppositoire

Administrer un suppositoire est souvent source de pleurs. Pour que cela se passe sans trop de heurts, pensez à enduire le suppositoire (que vous aurez stocké au frais dans le bas du réfrigérateur) d'un peu de vaseline. Vous pouvez également le mouiller légèrement. Une fois que vous l'avez glissé dans l'anus de votre nourrisson, tenez ses fesses serrées pendant un court moment, pour éviter que le suppositoire ressorte. Pendant ce temps, donnez un petit jouet à votre enfant pour le distraire.

> Le « biberon magique »

Pour donner un remède, vous pouvez également utiliser un microbiberon dans lequel vous aurez versé la quantité exacte de médicament. La dose est tellement infime que votre bébé la boira sans problème. Versez ensuite la dose de lait habituelle. Autre astuce : le biberon à piston ou à pompe. Très pratique, il permet au bébé de prendre le remède à son rythme ; s'il « cale », vous pouvez doucement l'aider à terminer en actionnant la pompe. Ce type de biberon est idéal pour les préparations à reconstituer (poudres à diluer, ampoules…).

1
2

SOULAGER LES MAUX DE DENTS

RARES SONT LES BÉBÉS QUI NAISSENT AVEC DES DENTS : LA PLUPART FONT LEUR PREMIÈRE PERCÉE VERS 6 MOIS. S'IL N'Y A PAS DE RÈGLE ABSOLUE POUR LA DATE DE SORTIE DES DENTS, ON SAIT TOUTEFOIS QUE LES POUSSÉES DENTAIRES PROVOQUENT CHEZ L'ENFANT UNE VÉRITABLE GÊNE ET DES DOULEURS QU'ON PEUT SOULAGER.

DES SIGNES QUI NE TROMPENT PAS

D'abord de manière irrégulière et occasionnelle, puis plus souvent et plus abondamment, votre enfant salive. Il est grognon, porte à sa bouche tout ce qui se trouve à sa portée. Ses joues peuvent devenir rouges et irritées : c'est le « feu de dents ». Dans certains cas, une diarrhée peut survenir, l'enfant peut même être fiévreux. Mais attention : la fièvre ne doit pas obligatoirement être mise sur le compte de la poussée dentaire, elle peut être le symptôme d'une autre maladie. Parallèlement, un érythème fessier peut apparaître (pour le soulager, cf. p. 46).

LES APPLICATIONS LOCALES

Certains médecins préconisent l'application d'un produit sur la gencive (souvent un gel anesthésique local), là où elle est particulièrement rouge et boursouflée. L'application de ce baume, qui a généralement très bon goût, avec votre doigt propre, en légers massages, soulagera autant bébé que le produit lui-même **(1) (2)**. Respectez bien la posologie : il est généralement conseillé de ne pas dépasser quatre applications par jour. La gencive de votre bébé ne sera complètement soulagée que lorsque la dent aura percé… jusqu'à la prochaine dent !

> ## Attention au vent…

Évitez de sortir s'il y a beaucoup de vent, car il est censé aiguiser les douleurs dues aux poussées dentaires. Le cas échéant, couvrez bien votre enfant avec une cagoule ou un bonnet.

CE QUI PEUT LE SOULAGER

Un bébé se soulage spontanément en mordant son poing, ses doigts ou sa tétine. Veillez donc à la parfaite propreté de ces éléments. À recommander : l'anneau de dentition, qui en principe ne peut être percé et qui est rempli de liquide inoffensif (eau ou sérum physiologique). Bébé peut le mordre à belles… gencives ! Il est conseillé de le placer au réfrigérateur ou au congélateur avant de le donner à votre enfant, car le froid constitue un puissant anesthésiant naturel. Tout autre objet dur et non dangereux peut faire l'affaire : hochet, trousseau de clefs en plastique… Autre astuce pour les bébés âgés de plus de 6 mois : le bâtonnet de carotte, le croûton de pain dur ou le biscuit dur, toujours sous votre surveillance afin que bébé ne risque pas de s'étouffer avec.

> ## Les médicaments adaptés

Demandez conseil à votre médecin qui vous prescrira le médicament le mieux adapté, généralement un remède à base de paracétamol, en sirop ou en suppositoire, ou un peu d'aspirine. Dans tous les cas, veillez à respecter les doses prescrites. Certains pédiatres préconisent la petite brosse à dents, que bébé mordille à sa guise. Le but de l'opération : le familiariser avec cet objet qu'il considérera comme un « ami », puisqu'il lui aura permis de soulager ses douleurs dentaires.

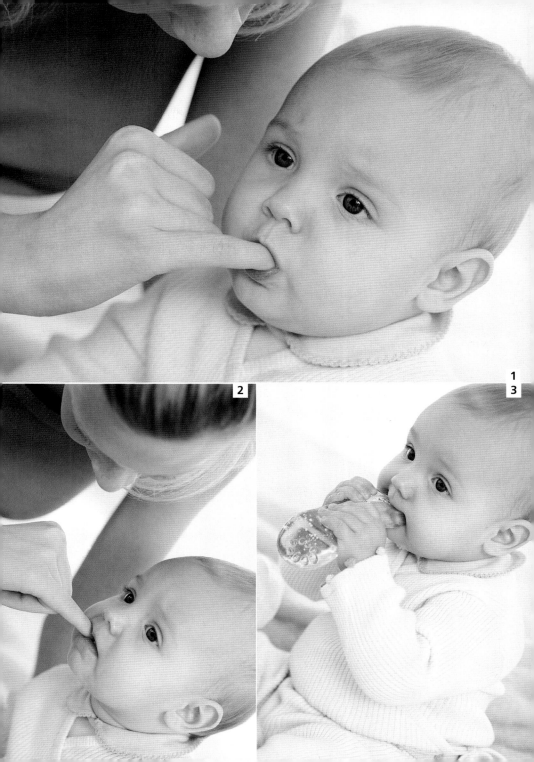

pour en savoir plus

LE MATÉRIEL INDISPENSABLE

DÈS LE DÉBUT DE VOTRE GROSSESSE, COMMENCEZ À VOUS PROCUREZ TOUT LE MATÉRIEL DONT VOUS ALLEZ AVOIR BESOIN PENDANT LES PREMIÈRES ANNÉES DE VIE DE VOTRE ENFANT. VOICI UNE LISTE QUI PEUT VOUS SERVIR DE GUIDE DANS VOS ACHATS. CERTAINS ÉLÉMENTS NE SONT PAS INDISPENSABLES : À VOUS DE FAIRE DES CHOIX ET DE DÉFINIR CE QUI EST PRIORITAIRE.

POUR UN SOMMEIL SEREIN

• Berceau
Joli et pratique pour bercer votre bébé, le berceau n'en reste pas moins cher et peu rentable puisque votre enfant risque de s'y retrouver très vite à l'étroit. Pour des raisons de sécurité, évitez de choisir un modèle avec des roulettes.

• Couffin
Facilement transportable, léger, il est aussi moins coûteux. Mais comme le berceau, il faudra le changer très rapidement pour un lit.

• Matelas à berceau ou couffin
Le matelas doit être de très bonne qualité. Si vous avez acheté le berceau ou le couffin d'occasion, investissez dans un nouveau matelas, solide et hypoallergénique. Celui-ci ne doit pas faire moins de 2 cm que la taille du berceau ou du couffin.

• Petit lit (60 cm x 120 cm)
Pensez à l'acheter très tôt car ce genre d'article n'est pas toujours disponible de suite. Vous pouvez l'utiliser dès la naissance de l'enfant, en posant son couffin à l'intérieur, ce qui le mettra à l'abri des courants d'air. Souvent à barreaux (pour permettre au bébé de voir ce qui se passe autour de lui, tout en étant en sécurité dans un espace clos), il peut être utilisé jusqu'à ce que l'enfant ait 2 ans. Il doit respecter en tout point les normes de sécurité. L'espacement des barreaux ne doit pas excéder 8 cm et la barre de lit (lorsqu'il y en a une) doit être suffisamment solide et bloquée de chaque côté pour que l'enfant plus grand ne puisse pas l'abaisser seul. Si vous avez acheté un lit en kit, pensez à vérifier qu'aucune vis ne dépasse.

• Matelas 60 x 120 cm
Il doit être assez ferme, en mousse (polyester, densité de 18 à 24 kg/m^3) ou mieux, à ressorts, pour être indéformable. Il est judicieux d'en choisir un hypoallergénique et imperméable, même si vous le recouvrez d'une alèse. Certains sont munis d'un surmatelas lavable en machine. Choisissez enfin un matelas de la taille exacte du petit lit : cela évitera que votre enfant se coince dans l'espace laissé vacant.

• Tour de lit
En plus d'être joli, cet élément en tissu matelassé permet de créer un environnement agréable pour votre bébé, lui évitant à la fois les chocs et les courants d'air. De plus, les tout-petits aiment bien dormir la tête calée contre quelque chose : autant que ce soit contre un tour de lit moelleux !

> La liste de naissance

Déposer une liste de naissance est une pratique de plus en plus courante, parce qu'il est bien pratique et économique de faire participer ses proches à l'acquisition du petit et gros matériel présenté ici. La plupart des grandes enseignes proposent ce service, notamment *via* Internet.

• **Alèses**

Prévoyez d'en acheter au moins deux, en coton caoutchouté. Ce sera toujours plus facile quand vous voudrez en laver une. Recouvrez-les systématiquement d'un molleton puis d'un drap housse.

• **Gigoteuse ou turbulette**

Plus pratique qu'une couette ou qu'un drap dans lesquels l'enfant pourrait s'enrouler (ce qui constituait, il y a peu, un des principaux risques d'étouffement), la turbulette assure à l'enfant un sommeil sans soucis.

• **Couverture légère pour le petit lit**

Cet élément n'est pas recommandé avant que l'enfant ait un an, à cause des risques évidents d'étouffement. Si votre bébé bouge beaucoup, continuez à le faire dormir dans une turbulette ou choisissez un pyjama intégral avec pieds. Il ne se découvrira pas dans la nuit.

• **Cale-bébé**

Rassurant pour les parents, le cale-bébé est une sorte de coussin qui permet à votre bébé de ne pas changer de position pendant la nuit. Vous serez ainsi assurés qu'il ne peut pas s'étouffer en se retournant sur le ventre ou autre (sous réserve d'avoir enlevé tout objet à risque autour de lui).

• **Lampe de chevet ou veilleuse**

Certains enfants n'aiment pas dormir dans le noir complet. La présence d'une veilleuse les rassurera. D'autre part, installer une lampe de chevet dans la chambre permet de créer une ambiance paisible et propice au calme au moment du coucher. Quand vous vous lèverez la nuit pour allaiter, donner le biberon ou consoler votre enfant, vous serez contente aussi de trouver une lumière douce, qui ne vous réveille pas tous les deux brutalement.

• **Veille-bébé**

Cet appareil fonctionne un peu comme un talkie-walkie et permet de « surveiller » votre bébé depuis une autre pièce.

TOUT RANGER DANS LA CHAMBRE

• **Coffre à jouets**

Pour l'instant, il va vous permettre de stocker tous les jouets et peluches que vos proches ne manqueront pas d'offrir à la naissance de votre enfant. Ensuite vous pourrez y mettre en vrac tout ce qui traîne dans la chambre : en un rien de temps, tous les jouets seront rangés, et faciles à retrouver !

• **Étagères**

Elles sont pratiques pour poser les objets auxquels on ne veut pas que l'enfant ait accès (lampe de chevet, couches, lait de toilette, veille-bébé…). Veillez toutefois à ne pas les accrocher juste au-dessus du lit : si un jour elles se décrochent, elles ne tomberont pas sur votre enfant endormi.

LE CHANGE, LE BAIN ET LA TOILETTE

• **Table ou matelas à langer**

Si vous ne voulez pas investir dans une véritable table à langer, souvent un peu encombrante, vous pouvez vous contenter d'un matelas à poser sur la commode (certains modèles de commode sont même conçus pour), ou d'une table suffisamment haute, que vous aurez recouverte d'un support plastifié étanche. Une vieille table d'ordinateur peut se révéler bien pratique car elle comprend souvent des roulettes et une quantité appréciable de rangements. Pensez à bien aménager l'espace de change : vous aurez besoin d'étagères ou de tiroirs pour ranger serviettes de toilette, lingettes, couches propres, et accessoires divers.

• Petite baignoire en matière plastique

Vous la placerez dans la douche, la baignoire ou sur une table (certaines s'adaptent même sur une table à langer). Prenez soin de la choisir avec un bouchon permettant la vidange.

• Transat ou siège de bain

Confortable pour votre enfant, il est aussi très pratique pour vous. Votre bébé ainsi soutenu, vous êtes plus libre de vos mouvements. Toutefois, ces éléments destinés à améliorer le confort ne constituent absolument pas un gage de sécurité : vous devez continuer à surveiller votre bébé, sans jamais le lâcher.

• Thermomètre de bain

Un accessoire bien utile si l'on veut s'assurer de la température de l'eau (37 °C).

• Kit de toilette

Vous devrez prévoir une petite brosse en poils doux, une paire de ciseaux à ongles à bouts ronds, du coton non pelucheux (ou des disques de coton à démaquiller), des compresses stériles (pour désinfecter le cordon ombilical les premiers jours, nettoyer les yeux…), du savon de Marseille (ou un pain surgras sans savon, cf. p. 34), une crème protectrice type Mitosyl®, et au besoin, de l'huile d'amande douce, une crème hydratante, de l'éosine, etc.

• Serviettes et gants de toilette

Pour des questions d'hygiène, il est conseillé de changer le linge de toilette tous les jours. Prévoyez d'en acheter en quantité suffisante.

POUR LE CONFORT À LA MAISON

• Transat

Vous pourrez l'emmener partout avec vous : léger et facilement transportable, il permet à votre bébé de suivre la vie de la maison, tout en étant confortablement installé (cf. p. 62).

• Chaise haute et coussin adapté

Une chaise haute sera nécessaire lorsque votre enfant commencera à se tenir assis et à manger à la cuillère. Elle doit être solide et ses attaches doivent être fiables. Le coussin est en général plastifié pour être nettoyé facilement.

• Parc

Vous pouvez en faire un endroit sécurisé, dans lequel laisser votre enfant quelques instants lorsque vous êtes sous la douche ou au téléphone. Pour que votre enfant ne s'ennuie pas, faites en un coin bien à lui avec des jeux, des peluches et un tapis d'éveil (cf. p. 62). Les barreaux aideront votre bébé à se lever seul.

• Tapis d'éveil

Le désir de découverte de votre bébé sera comblé si vous l'y installez ! Couleurs, matières, sons : tout est à explorer ! (cf. p. 62)

POUR LES REPAS

• Biberons complets

Il existe plusieurs sortes de biberons, en verre ou en plastique. Le biberon en plastique a plusieurs avantages : il est léger, incassable, souple et reste toujours proche de la température ambiante. En revanche, il se ternit rapidement, a tendance à se rayer et peut aussi se fendiller. Certains modèles comportent des poignées pour que votre bébé puisse l'attraper seul. Le biberon en verre reste bien net, si on le lave méticuleusement pour éviter les dépôts de calcaire. En revanche, si on le laisse tomber, il se casse ! Il a également le défaut de peser plus lourd dans le sac et de n'être pas adapté aux petites mains des bébés. À vous de choisir, selon votre mode de vie le modèle qui vous convient le mieux. Veillez à avoir au moins 6 biberons complets.

• Goupillon

Les biberons doivent être parfaitement nettoyés avant stérilisation. Le goupillon est donc un accessoire pratique, qui permet d'en frotter parfaitement tous les recoins.

• Chauffe-biberons

Si vous avez un micro-ondes ou que cela ne vous dérange pas de faire chauffer les biberons dans une casserole d'eau chaude, au bain-marie, vous pouvez vous en passer. Songez toutefois que les chauffe-biberons gardent les biberons au chaud et à la bonne température pendant un certain temps : vous pourrez donc les préparer un peu à l'avance (<30 mn).

• Stérilisateur

Il en existe deux sortes : le stérilisateur à chaud, ou à froid. À vous de choisir celui qui vous convient le mieux.

• Tire-lait

Si vous allaitez votre bébé, cela vous permettra de préparer des biberons avec votre propre lait. Le papa pourra ainsi vous remplacer de temps en temps pour le repas.

• Bavoirs

Au départ, choisissez plutôt ceux qui sont en coton d'un côté et plastifiés de l'autre. Ils doivent être lavables en machine. Mais vous pouvez aussi acheter dès maintenant, en prévision des débuts à la cuillère de votre tout-petit, les bavoirs en plastique avec réservoir, qui récupèrent tout ce qui tombe de la bouche et de la cuillère de bébé.

DES VÊTEMENTS BIEN DOUILLETS

N'achetez pas trop de vêtements de naissance à votre bébé : ils seront rapidement trop petits. D'autre part, vous recevrez certainement beaucoup de cadeaux…

Préférez des habits de taille 3 mois que vous garderez plus longtemps. Choisissez-les de préférence en fibres naturelles ou en coton pur (lavable à 100 °C), en particulier pour les sous-vêtements. Bannissez tous ceux qui ne se lavent pas en machine.

Veillez à ce qu'ils soient faciles à mettre et à enlever, de préférence sans coutures trop apparentes et sans élastiques qui pourraient gêner votre bébé.

Voici une liste de la layette indispensable :
• 10 bodies,
• 7 paires de chaussettes,
• 2 paires de chaussons,
• 7 grenouillères,
• 7 « ensembles » (un pull, un polo et un pantalon ; une robe, une paire de collants et un gilet, etc.),
• manteau,
• bonnet, cagoule ou chapeau de soleil,
• moufles et combinaison (selon la saison).

POUR LES SORTIES

• Combiné landau-poussette

Indispensable pour la promenade, le landau-poussette est un bon investissement. Les modèles sont eux très diversifiés, en fonction des besoins des parents. Si vous habitez en ville ou à la campagne, si vous avez un ou plusieurs enfants en bas âge, etc., vous ne choisirez pas la même chose ! Reportez-vous p. 78 à 80 pour plus de détails.

• Housse « intempéries »

Dès qu'il commence à faire un peu froid ou humide, mieux vaut recouvrir votre enfant au maximum afin d'éviter qu'il prenne froid. La housse « intempéries » est souvent vendue avec la poussette ou le landau.

• Ombrelle

Elle permet de protéger votre enfant des rayons du soleil ou d'une trop forte luminosité. Les yeux de votre bébé sont encore fragiles, et donc plus sensibles. Sur un landau, à défaut d'ombrelle, vous pouvez toujours baisser la capote.

• Porte-bébé ventral
Assurez-vous qu'il est confortable et adapté à votre morphologie. Pour savoir quel modèle choisir et comment l'ajuster, reportez-vous à la p. 74.

• Porte-bébé dorsal
Réservé aux enfants de plus de 8 mois, il vous permet d'aller partout où la poussette ne peut pas passer. Cf. p. 76.

• Lit auto
Indispensable dès la sortie de la maternité pour ramener votre enfant chez vous, le lit auto doit répondre à certaines normes de sécurité. Certaines nacelles de landau peuvent être utilisées en lit auto. Il se place sur la banquette arrière de la voiture.

• Siège coque et siège auto.
Il se place sur le siège avant du passager, dos à la route, maintenu par la ceinture de sécurité, sauf dans une voiture équipée d'un airbag à cette place. À partir de 9 mois, votre bébé devra être installé dans un siège auto ; choisissez un modèle avec une ceinture avec trois points d'ancrage, une coque rigide enveloppante et suffisamment haute pour protéger la tête en cas de choc. L'assise doit être profonde et les côtés rembourrés. Quels que soient les modèles choisis, ils doivent répondre aux normes de sécurité en vigueur (NF).

• Sac nursery
Choisissez-en un qui soit plutôt grand, avec une longue bandoulière pour pouvoir l'attacher sur la poussette ou le porter sur l'épaule. Vous y mettrez les couches de rechange, les biberons, un bavoir ou encore la peluche ou le doudou de votre bébé.

LES JOUETS
Votre bébé aura très tôt besoin de jouets pour l'aider à développer son sens de l'observation, ses capacités mentales et motrices et son goût de vivre. Quelques peluches lui permettront de se sentir moins seul dans son lit et de retrouver chaque soir un environnement connu. Tous les éléments qui peuvent lui faire découvrir de nouvelles choses sont bons à garder. Vous pouvez ainsi penser aux accessoires suivants :
• mobile musical à accrocher au-dessus du berceau ou boîte à musique,
• portique d'éveil,
• hochets, anneaux de dentition,
• jouets de bain,
• peluches,
• album de naissance.

> ### > Bien choisir les jouets en fonction de l'âge de votre bébé

Les jeux sont essentiels car ils aident l'enfant à bien se développer : mais comment être sûr de choisir le bon jouet ? Tout d'abord, pensez à vous servir de tout ce qui vous entoure, ainsi que de votre imagination ! Un enfant appréciera autant de jouer à cache-cache avec vous ou de remplir et vider une bouteille dans l'eau du bain, que de jouer avec des jeux perfectionnés, très étudiés par des fabricants. Les jeux de mains, les chatouilles sont autant de façon de jouer avec un bébé. En ce qui concerne les jouets achetés, quelques règles peuvent être observées : un bon jouet est avant tout un jouet adapté au développement et aux goûts de l'enfant. Il doit laisser une part d'imaginaire à l'enfant : un jouet trop élaboré ne laissera jamais place à la créativité. Le jouet doit donc rester un support simple, qui permet de stimuler le bébé. Sa forme, ses couleurs, ses usages multiples font qu'il va éveiller la curiosité de l'enfant. Enfin, il doit répondre à toutes les normes de sécurité en étant solide, résistant et non toxique

LES FAIRE-PART DE NAISSANCE ET LES REMERCIEMENTS

LE FAIRE-PART EST LE MEILLEUR MOYEN D'INFORMER FAMILLE ET AMIS DE L'ARRIVÉE DE VOTRE NOUVEAU-NÉ. N'OUBLIEZ PAS ENSUITE DE REMERCIER CEUX QUI VOUS ONT ENVOYÉ DES CADEAUX OU UN PETIT MOT À L'OCCASION DE LA NAISSANCE DE VOTRE ENFANT. CELA FAIT TOUJOURS PLAISIR !

FAIRE-PART

Voici quelques exemples de textes à adapter à votre guise :

Nous sommes très heureux de vous annoncer la naissance de notre petit garçon/petite fille (nom du bébé).

Coucou !
Je m'appelle (nom du bébé), je suis un(e) petit garçon/petite fille de X cm et X kg.
Je suis né(e) le (date) à (X).
Mes parents sont fous de joie !

Après neuf mois passés à me reposer dans mon petit cocon, j'ai décidé de sortir au grand jour le (date) au grand bonheur de mes parents. Je m'appelle (nom du bébé), X kg, X cm.

Fini les vacances sur la plage en solitaire !
Désormais, il faudra compter sur moi !
Je m'appelle (nom du bébé) et suis né le (date). Je suis un beau bébé très calme…
Venez m'admirer chez (nom et adresse parents).

QUAND ENVOYER LES FAIRE-PART ?

On envoie généralement les faire-part dans les dix jours qui suivent la naissance de l'enfant. Toutefois, attendre un mois pour vous plier à cette douce obligation ne constitue pas une faute de goût irréversible !

REMERCIEMENTS

Vos proches ont couvert votre bébé de cadeaux… Même si vous êtes tout à la joie de profiter de votre bébé tout neuf (et lui de ses petits cadeaux), n'oubliez pas d'adresser un gentil petit mot de remerciement. Si vous manquez de temps ou que le fait de prendre la plume vous rebute, décrochez simplement votre téléphone ou adressez un petit mail, nul n'y verra d'inconvénient.

Quelques suggestions pour trouver la petite phrase qui témoignera de votre bonheur :

(Prénom du bébé) vous remercie
de l'attention
que vous lui avez témoigné
à l'occasion de sa naissance
et vous embrasse tendrement.

(Prénom du bébé) ne sait pas encore écrire (!), mais il se joint à nous pour vous remercier pour l'attention que vous lui avez témoignée lors de son arrivée.

Nous vous remercions sincèrement
pour votre délicate attention à l'occasion de l'arrivée de notre petit (prénom du bébé).

LES DÉMARCHES ADMINISTRATIVES

L'ATTENTE ET L'ARRIVÉE D'UN BÉBÉ NE SE FONT PAS À LA LÉGÈRE. PETIT RAPPEL DES DÉMARCHES À ÉTABLIR PENDANT ET APRÈS LA GROSSESSE.

LA DÉCLARATION DE NAISSANCE

La déclaration de naissance est obligatoire pour tout enfant, légitime ou naturel (né de parents non mariés). Elle doit être faite à la mairie dans les trois jours qui suivent le jour de la naissance, mais si l'enfant naît un mercredi, un jeudi ou un vendredi, ce délai est repoussé au lundi suivant. Passé ce délai, l'officier de l'état civil ne peut plus dresser l'acte de naissance. Seul un jugement du tribunal peut donner lieu à l'établissement d'un acte de naissance, mais les démarches sont longues, fastidieuses et coûteuses.

La déclaration de naissance (gratuite) est établie par un officier d'état civil. Toute personne ayant assisté à l'accouchement peut faire la déclaration, mais cette dernière peut également être faite par la maternité.

La personne qui déclare doit être munie du certificat de naissance remis par le médecin ou la sage-femme et du livret de famille.

RECONNAISSANCE D'UN ENFANT NATUREL

La déclaration de naissance n'équivaut pas à une reconnaissance. Toutefois, sachez que vous pouvez reconnaître un enfant naturel lors de la déclaration de naissance et faire établir un livret de famille.

Si l'enfant est décédé avant sa déclaration de naissance à la mairie, l'officier d'état civil établit un acte de naissance et un acte de décès à condition que la personne chargée de la déclaration produise un certificat médical attestant que l'enfant est né vivant et viable. Si l'enfant est mort-né, il établit un acte d'enfant sans vie.

LES DÉMARCHES ANNEXES

N'oubliez pas non plus de vous renseigner sur les différentes aides qui existent (cf. p. 110) et de préparer votre reprise du travail. Du fait d'un manque de places important, les inscriptions en crèche se font bien souvent à partir du troisième mois de grossesse (cf. « Choisir un mode de garde » p. 112). Trouver une nounou prend également du temps. Si vous ne l'avez pas encore fait, il faut vous en préoccuper.

> ### Le guide de surveillance médicale

Ce guide pratique, que vous avez dû recevoir peu après votre déclaration de grossesse, recense tous les examens à effectuer pendant la grossesse et après la naissance de votre enfant (jusqu'au 3e mois). Il est à conserver et à présenter lors de chaque consultation médicale.

Il rappelle que la maman doit consulter chaque mois un médecin ou une sage-femme.

Le guide contient autant d'étiquettes que d'examens à réaliser. Chaque étiquette doit être apposée sur la feuille de maladie avant l'envoi à l'organisme d'assurance maladie dont dépend la maman. Bon à savoir : chacun de ces examens est pris en charge à 100 %.

Pour en savoir plus, adressez-vous à la caisse primaire d'assurance maladie (CPAM) dont vous dépendez, à la caisse d'allocations familiales (CAF), ou au centre de protection maternelle et infantile (PMI) dont vous dépendez.

LES CONGÉS

LA NAISSANCE D'UN ENFANT DONNE DROIT À DIFFÉRENTS TYPES DE CONGÉS, DE DURÉE VARIABLE, ET DANS DES CONDITIONS DIVERSES.

LE CONGÉ MATERNITÉ

Le congé de maternité est un droit auquel toute salariée peut prétendre. Sa durée varie selon le nombre d'enfants venant d'être mis au monde et le nombre d'enfants déjà nés.

• Ce qu'il faut savoir

Pour la naissance d'un seul enfant, vous avez droit à 16 semaines de congé minimum : 6 semaines avant la date présumée de l'accouchement et dix semaines après.
À partir de la naissance du troisième enfant, vous bénéficiez d'un congé de vingt-six semaines (huit semaines avant et dix-huit semaines après). Ceci est valable si vous avez déjà deux enfants à charge ou si vous avez mis au monde deux enfants viables.

• Grossesse multiple

En cas de naissance de jumeaux, la durée de votre congé de maternité est de douze semaines avant la date présumée de l'accouchement et de vingt-deux semaines après. Les douze semaines de congé prénatal peuvent être assorties de quatre semaines supplémentaires, les vingt-deux semaines de congé postnatal étant alors réduites d'autant.
En cas de naissance de triplés ou plus, la durée du congé de maternité est de vingt-quatre semaines avant la date présumée de l'accouchement et de vingt-deux après. Si vous accouchez après la date présumée, votre repos prénatal se trouve prolongé, le repos postnatal n'étant pas réduit pour autant.
En cas d'accouchement prématuré, votre congé prénatal étant écourté, vous rattrapez les jours de congé dont vous n'avez pas bénéficié avant l'accouchement, lors de votre congé postnatal.

• En cas de maladie

Si votre maladie est due à la grossesse ou aux suites de l'accouchement, le congé peut être augmenté sur prescription médicale de deux semaines avant la date présumée de l'accouchement (durant lesquelles vous percevez des indemnités journalières de maternité) et de quatre semaines après le congé maternité. Vous touchez alors des indemnités journalières de maladie.

• Durée minimale obligatoire du congé

Vous devez cesser de travailler pendant au minimum 8 semaines, dont 6 semaines après l'accouchement.

• Indemnisation

Pendant votre congé de maternité, vous percevez de votre caisse de sécurité sociale des indemnités journalières. L'employeur peut être tenu par la convention collective de compléter les indemnités à hauteur du salaire.

> **Et si vous souhaitez démissionner pour élever votre enfant ?**

Pour élever son enfant, une salariée peut résilier son contrat de travail à l'issue de son congé de maternité sans avoir à effectuer de préavis. Il lui suffit d'informer son employeur dans le délai de 15 jours avant l'expiration de son congé de maternité. À la suite de cette démission, la salariée ayant consacré son temps à l'éducation de son enfant, peut, après un délai de deux à trois mois environ, reprendre une activité professionnelle dans une autre entreprise, sans avoir à respecter de préavis envers son premier employeur, ni à lui verser d'indemnité de rupture.

LE CONGÉ PATERNITÉ

Le congé paternité est fixé à 11 jours consécutifs en cas de naissance simple et à 18 jours en cas de naissance multiple à dater de la naissance. Ce congé n'est pas fractionnable. Il peut se cumuler avec le congé de 3 jours accordé à la naissance d'un enfant.

Le congé doit être pris après la naissance de l'enfant dans un délai de 4 mois. Cependant, le père a la faculté de reporter ce congé dans deux cas :
– hospitalisation de l'enfant,
– décès de la mère.

Le salarié doit avertir son employeur au moins 1 mois à l'avance et lui préciser la date de son retour.

LE CONGÉ PARENTAL D'ÉDUCATION

Après la naissance ou l'adoption d'un enfant, vous pouvez demander un congé parental d'éducation, de travailler à temps partiel, ou de bénéficier d'un congé parental d'éducation puis d'un travail à temps partiel, ou l'inverse. Sous quelles conditions ? Pour combien de temps ?

• Qui peut bénéficier du congé parental d'éducation ?

Toute personne venant d'avoir un enfant ou d'en adopter un âgé de moins de 16 ans peut profiter de ce type de congé.

Vous devez également être salarié de l'entreprise depuis au moins un an au jour de la naissance ou de l'adoption de l'enfant.

Votre demande ne peut en aucun cas être refusée. Vous pouvez en bénéficier même si votre conjoint a demandé un congé parental ou un travail à temps partiel.

• Durée du congé parental d'éducation

Plusieurs cas se présentent :
– après le congé de maternité : jusqu'au 3e anniversaire de l'enfant,
– après un congé d'adoption d'un enfant de moins de 3 ans : pendant trois ans à compter de l'arrivée de l'enfant au foyer
– après un congé d'adoption d'un enfant de plus de 3 ans : pendant un an à compter de l'arrivée de l'enfant au foyer.

• Début du congé ou du temps partiel

Le congé parental ou le temps partiel peuvent débuter à tout moment :
– après le congé de maternité (jusqu'au 3e anniversaire de l'enfant),
– ou après le congé d'adoption jusqu'à l'expiration d'une durée de 3 ans à compter de l'arrivée de l'enfant au foyer (si l'enfant a moins de 3 ans à cette date), ou d'un an (s'il a plus de 3 ans).

• Durée du congé ou du temps partiel

Elle est initialement d'un an au plus, renouvelable deux fois. En cas d'adoption d'un enfant âgé de 3 à 16 ans, la durée est d'un an non renouvelable. Vous devez avertir votre employeur par lettre recommandée avec accusé de réception au moins un mois avant, que le congé suive immédiatement le congé maternité ou d'adoption, ou qu'il s'agisse d'une prolongation. Dans les autres cas, le délai est d'au moins deux mois.

• Comment en informer votre employeur

Vous devez prévenir votre employeur de votre volonté de prendre votre congé parental d'éducation par lettre recommandée avec accusé de réception en indiquant la date de début et la durée du congé ou du travail à temps partiel dans un délai d'un mois au moins avant le terme du congé de maternité, ou de 2 mois au moins avant le début du congé ou le début du temps partiel, dans les autres cas.

• Les obligations de votre employeur

Quel que soit l'effectif de l'entreprise, tout salarié qui remplit les conditions nécessaires peut bénéficier d'un congé parental, ou exercer son activité à temps partiel.

Pendant le congé parental ou la période d'activité à temps partiel, le salarié a le droit de suivre une action de formation. Celle-ci n'est pas rémunérée.

• À partir de quand pouvez-vous retravailler ?

Vous n'avez le droit de reprendre vos fonctions avant le terme de votre congé parental qu'en cas de décès de l'enfant ou de diminution importante des ressources de votre ménage.

Dans ce cas, vous devez adresser une lettre recommandée avec accusé de réception à votre employeur au moins un mois avant la date à laquelle vous désirez reprendre votre activité.

Dans les autres cas, l'employeur peut refuser votre reprise anticipée.

• Conséquences sur votre contrat de travail

Pendant la durée du congé parental, votre contrat est suspendu mais non rompu et vous n'êtes pas rémunéré.

Toutefois, si vous avez deux enfants et que le dernier est âgé de moins de trois ans, vous pouvez demander l'allocation parentale d'éducation (cf. p. 113). Vous conservez le bénéfice de tous vos avantages acquis. Vous conservez vos droits aux prestations en nature de l'assurance maladie maternité, invalidité et décès.

> ### En cas de démission ou de licenciement

Si vous ne reprenez pas votre emploi à l'issue du congé parental, vous devez respecter un préavis de démission.

Si vous êtes licencié en cours de congé parental ou à l'issue du congé, vos ayants droit et vous bénéficiez des droits aux prestations d'assurance maladie, maternité, invalidité et décès dont vous releviez antérieurement tant que dure votre indemnisation à l'assurance chômage.

• Si vous travaillez à temps partiel

Votre contrat est modifié : votre salaire est réduit en proportion du temps de travail.

Pendant le congé parental ou la période de travail à temps partiel, vous pouvez suivre une action de formation à votre initiative.

Vous pouvez également demander à percevoir une allocation parentale d'éducation (voir conditions sur le site www.caf.fr).

Vous ne pouvez exercer d'activité professionnelle pendant votre temps libre sauf celle d'assistante maternelle.

• Et après ?

À l'issue du congé ou de la période à temps partiel, vous devez retrouver votre emploi ou un emploi similaire assorti d'une rémunération équivalente.

En cas de non-reprise de l'activité salariée en raison d'une maladie ou d'une autre maternité vous retrouvez vos droits aux prestations de votre régime de protection sociale antérieur, tant que dure l'arrêt de travail.

LE CONGÉ DE PRÉSENCE PARENTALE

Si votre enfant est gravement malade, handicapé ou accidenté et que son état nécessite une hospitalisation pour soins continus ou une présence constante, vous allez pouvoir bénéficier du congé de présence parentale. Cela vous permet, à vous et à votre conjoint, de réduire ou de suspendre votre activité professionnelle. Le médecin doit certifier la nécessité d'une présence soutenue d'un parent pendant une durée minimale de 4 mois (2 mois pour les grands prématurés).

La demande de congé doit être soumise à votre employeur, par courrier. Si votre congé est accepté, vous pourrez peut-être bénéficier, sous réserve de l'acceptation du contrôle médical de l'Assurance maladie dont dépend votre enfant, de l'allocation de présence parentale.

LES DIFFÉRENTES AIDES

ÊTRE PARENT DONNE DROIT AU VERSEMENT DE PRESTATIONS BIEN SPÉCIFIQUES ; CERTAINES DÉPENDENT DE VOS RESSOURCES, D'AUTRES SONT ATTRIBUÉES SANS CONDITIONS.

LES ALLOCATIONS FAMILIALES SANS CONDITIONS DE RESSOURCES

Si vous avez au moins deux enfants à charge, âgés de moins de 20 ans, vous avez droit aux allocations familiales, quels que soient votre situation familiale et le montant de vos revenus. Pour en savoir plus, allez voir sur www.caf.fr ou adressez-vous à la caisse d'allocations familiales dont vous dépendez.

LES ALLOCATIONS FAMILIALES AVEC CONDITIONS DE RESSOURCES

À compter du 1er janvier 2004, la prestation d'accueil du jeune enfant (Paje) se substitue à l'ensemble des prestations liées à la petite enfance (Apje, Afeama, Aged, Ape, Aad) pour tous les enfants nés, adoptés ou recueillis en vue d'adoption à partir de cette date. Si vous perceviez, pour un enfant né avant cette date, l'une ou l'autre de ces allocations, vous continuerez à les toucher jusqu'au 1er janvier 2007. Cette prestation comprend plusieurs volets : une allocation de base, une prime à la naissance ou à l'adoption, le complément de libre choix du mode de garde et le complément de libre choix d'activité. En dehors de cela, plusieurs aides ponctuelles subsistent, comme l'allocation de parent isolé ou l'allocation de présence parentale.

• Prime à la naissance ou à l'adoption (dans le cadre de la Paje)

Vous attendez un enfant ou vous avez un enfant né, adopté ou recueilli en vue d'adoption. Dans ce cas, vous avez peut-être droit à la prestation d'accueil du jeune enfant, versée sous conditions de ressources. Si vous attendez un enfant, il s'agit de déclarer votre grossesse à votre Caf et à votre caisse primaire d'assurance maladie dans les 14 premières semaines de grossesse et de vous présenter aux visites médicales obligatoires pour votre enfant.

Si vous adoptez un enfant, ce dernier doit être âgé de moins de 20 ans. Vous devez avoir adopté cet enfant ou il doit vous avoir été confié en vue d'adoption par le service d'aide sociale à l'enfance, un organisme autorisé pour l'adoption ou une autorité étrangère compétente.

• Complément de libre choix du mode de garde (dans le cadre de la Paje)

Vous employez une assistante maternelle agréée ou une aide à domicile pour garder votre enfant né, adopté ou recueilli en vue d'adoption. Vous avez peut-être droit au complément de libre choix du mode de garde de la Prestation d'accueil du jeune enfant.

Les conditions et le montant de cette prestation dépendent du montant de vos ressources et du nombre de personnes à charge au sein de votre foyer.

Vous devez remplir un formulaire de demande de Paje complément de libre choix du mode garde. Vous devez retourner ce formulaire complété à votre Caf. Si vous embauchez une garde d'enfant à domicile, vous devez également compléter l'autorisation de prélèvement qui est jointe au formulaire de demande.

Le centre « Pajemploi » vous adressera ensuite un carnet de volets déclaratifs destinés à déclarer chaque mois la rémunération de votre salarié. À réception du volet, ce centre calculera le montant des cotisations et vous indiquera éventuellement le solde qui reste à votre charge. Il adressera directement à votre salarié l'attestation d'emploi qui fait office de bulletin de salaire.

• Complément de libre choix d'activité (dans le cadre de la Paje)

Si l'un de vos enfants est né, adopté ou recueilli en vue d'adoption et que vous interrompez entièrement ou partiellement votre activité professionnelle pour vous occuper de lui, vous recevrez peut-être le complément de libre choix d'activité de la Paje. La durée d'attribution de cette allocation dépend du nombre d'enfants à charge. Pour pouvoir en bénéficier, vous devez justifier d'une activité professionnelle d'une durée minimale de 2 ans, au cours d'une période de durée variable (en fonction du nombre d'enfants), précédant la naissance, l'adoption ou la demande d'allocation. Cette période est de 2 ans pour un premier enfant, de 4 ans si c'est votre deuxième et de 5 ans si vous avez trois enfants ou plus. Les deux parents peuvent bénéficier chacun d'un complément de libre choix d'activité à taux partiel dans la limite du montant du taux plein.

Si vous avez interrompu totalement ou partiellement votre activité professionnelle (salariée ou non) et que vous avez au moins deux enfants, nés avant le 1er janvier 2004, dont l'un a moins de 3 ans, vous pouvez continuer à bénéficier de l'allocation parentale d'éducation. Vous devez justifier d'une activité d'au moins 2 ans dans les 5 ans précédant la naissance, l'adoption ou l'arrivée au foyer d'un deuxième enfant, ou d'au moins 2 ans dans la période de 10 ans précédant soit la naissance, l'adoption ou l'arrivée au foyer du troisième enfant à charge, soit la demande d'allocation au titre du troisième enfant.

• Allocation de présence parentale (APP)

Votre enfant est gravement malade, handicapé ou accidenté. Son état de santé nécessite des soins continus ou la présence d'un parent. Et vous ou votre conjoint interrompez ou réduisez votre activité professionnelle, dans le cadre d'un congé de présence parentale. Une fois que celui-ci a été accepté (cf. p. 112) par votre employeur, faites une demande d'APP, soumise à un avis favorable du contrôle médical de l'Assurance maladie dont dépend votre enfant. Pour que votre demande soit valide, vous devez fournir un certificat médical détaillé, sous pli cacheté, établi par le médecin.

La situation de chômage non indemnisé ne permet pas l'attribution de cette allocation. Le versement de cette allocation est incompatible avec le versement :
– des indemnités journalières maladie, maternité ou d'accident du travail ;
– de l'allocation forfaitaire de repos maternel, ou l'allocation de remplacement pour maternité ;
– d'une pension d'invalidité ou de retraite ;
– de l'allocation parentale d'éducation ;
– de l'allocation aux adultes handicapés ;
– d'un complément de l'allocation d'éducation spéciale ;
– d'une allocation de chômage.

Si vous êtes en chômage indemnisé, dès que vous bénéficierez de l'APP, le paiement de vos allocations de chômage sera automatiquement suspendu à la demande de la CAF.

• Allocation de parent isolé (API)

Si vos ressources sont modestes, que vous vivez seule et que vous attendez un bébé, ou encore que vous êtes le parent d'au moins un enfant dont vous assumez la charge et que vous vivez seul(e), cette allocation peut vous aider : elle vous garantit un revenu familial minimum.

CHOISIR UN MODE DE GARDE

PAR CHOIX OU PAR OBLIGATION, VOUS ALLEZ REPRENDRE VOTRE ACTIVITÉ PROFESSIONNELLE. ET BIEN SÛR, PENDANT VOTRE ABSENCE, VOUS VOULEZ CONFIER BÉBÉ À DES MAINS AFFECTUEUSES ET EXPERTES. POUR CELA, IL VOUS FAUT D'ABORD CHOISIR UN MODE DE GARDE ADAPTÉ À VOS BESOINS. QUELQUES CONSEILS...

CHOISIR UN MODE DE GARDE

C'est une décision qui se réfléchit mûrement : les deux parents doivent penser à leur mode de vie, à ce qui va être le plus pratique et le plus rassurant pour eux, et enfin à ce qui va être le plus confortable pour le bébé.

Préférez-vous qu'il soit gardé chez vous car vous rentrez tard le soir ? Voulez-vous qu'il soit seul ou avec un autre enfant ? Avez-vous plutôt envie de favoriser sa sociabilité en l'inscrivant en crèche ?

Selon vos horaires, vos besoins ne seront pas les mêmes. À vous de décider ce qui vous convient le mieux. Dans tous les cas, n'hésitez pas à demander les diplômes ou certificats de travail des personnes qui vont s'occuper de votre enfant, pour vous assurer qu'il sera entre de bonnes mains.

Vous allez devoir faire confiance à la (ou aux) personne(s) qui garde (nt) votre bébé. Cela prend du temps et nécessite de suivre quelques principes de base.

L'ASSISTANTE MATERNELLE À DOMICILE

Elle vient chez vous la journée pour s'occuper de votre enfant et, selon les règles qui ont été fixées entre vous, peut s'occuper du ménage et des devoirs des enfants plus grands. Elle est en général nourrie mais pas logée. Lors d'un premier entretien, vous devrez vous entendre sur les tâches à accomplir pendant son temps de présence chez vous, et sur un salaire. Vous devez en fait établir un contrat. Pensez aussi à discuter des vacances, qui posent souvent problème. Mieu vaut se mettre d'accord dès le départ sur les préférences et exigences de chacun afin d'éviter les conflits inutiles.

Avant de faire un choix définitif sur la personne qui va s'occuper de votre enfant, faites passer des entretiens et demandez au besoin des références. Une assistante maternelle ne s'occupe pas seulement du bien-être physique de votre enfant : elle prend aussi du temps pour jouer avec lui, l'incite à mener des activités d'éveil, aiguise sa curiosité, l'habitue à un mode de vie différent, lui apprend des jeux amusants... Il est donc très important qu'elle soit à l'aise avec votre enfant et que vous lui fassiez confiance.

L'avantage pour votre enfant, c'est qu'il ne change pas d'environnement, il peut évoluer à son rythme et il ne doit pas se lever tôt pour être emmené à la crèche de bonne heure.

D'autre part, s'il est malade, vous n'aurez pas

> La garde partagée

Un bon moyen de faire baisser les prix de la garde à domicile consiste à opter pour une garde partagée : dans ce cas, votre enfant sera gardé en même temps qu'un autre, au domicile de l'un ou de l'autre selon les arrangements passés entre les familles, par une même personne. Même si ce système demande une bonne organisation, il est très avantageux. Une fois que vous avez trouvé une famille avec un enfant du même âge que le vôtre, que vous avez choisi une nourrice, que vous vous êtes entendus sur l'appartement dans lequel elle allait garder les enfants, et que vous avez acheté tout le matériel en double, tout devient très facile. Les échanges avec les parents de l'autre famille peuvent être très bénéfiques et votre enfant apprend les premières règles de partage en devant vivre avec un autre au quotidien.

de problème pour le garder. Les horaires peuvent en outre être facilement adaptés.
Sachez que la garde à domicile reste toutefois assez onéreuse.
La garde à domicile vous donne droit à une aide des allocations familiales : le complément de libre choix du mode de garde (qui fait partie de la Paje, cf. p. 112). Un contrat de travail d'employé de maison doit impérativement être signé.

LA JEUNE FILLE AU PAIR

Française ou étrangère, âgée de 18 à 26 ans, la jeune fille au pair a pour tâche de garder vos enfants à certaines heures de la journée, tout en suivant le reste du temps des cours à l'université. Elle est nourrie et logée par la famille qui l'accueille. Une fois encore, afin d'éviter les malentendus, il est conseillé de fixer dès le départ quelques règles : la jeune fille passera-t-elle tous les repas avec la famille ? A-t-elle le droit de ramener un petit ami ? Doit-elle s'occuper aussi des tâches ménagères ?
L'habitude veut que l'on rémunère la jeune fille au pair (275 euros minimum par mois) et que ses transports et sa sécurité sociale lui soient remboursés. Vous pouvez proposer aussi un échange comme 15 h par semaine de présence auprès des enfants contre une chambre ou un logement autre.
Il est courant de voir cette formule utilisée en complément d'une autre : comme la jeune fille au pair travaille souvent à temps partiel, ce n'est pas toujours suffisant pour les parents qui travaillent. L'avantage est qu'elle est jeune, dynamique.

L'ASSISTANTE MATERNELLE AGRÉÉE

L'assistante maternelle agréée doit avoir les mêmes qualités que l'employée de maison ou nourrice à domicile. Elle doit être agréable, rassurante et doit créer un climat chaleureux, de confiance. La seule différence est qu'elle garde votre bébé chez elle, avec un ou plusieurs autres enfants. Elle est dite « agréée » car elle a reçu un agrément du Conseil général lui permettant d'exercer ce métier. Cela signifie que son logement a subi des contrôles de sécurité et de propreté, et qu'elle est habilitée à garder des tout-petits.
Même si la nourrice est donc capable de garder votre enfant, il faut impérativement qu'elle vous plaise. Si sa personnalité ou son logement ne vous conviennent pas, cherchez-en une autre. Les échanges que vous pourrez avoir par la suite sont très importants : si vous ne vous entendez pas avec l'assistante maternelle de votre enfant, ceux-ci ne pourront pas avoir lieu.
Lorsque vous avez fait votre choix, vous devez déclarer votre nourrice à l'URSSAF dans les 8 jours suivant l'embauche. Vous devez aussi établir un contrat de travail si l'assistante maternelle garde votre enfant plus de 8 h par semaine. Son logement doit être suffisamment spacieux pour accueillir plusieurs enfants. Il doit être adapté à leurs besoins. Votre bébé aura aussi besoin d'avoir son lit à lui pour faire sa sieste en toute sérénité. En revanche, il n'est pas gênant que deux ou trois enfants dorment dans la même chambre ; la complicité entre les enfants n'en sera que renforcée. Comme à la maison, la nounou doit instaurer un rituel rassurant avant d'installer votre bébé pour la sieste.

LES DIFFÉRENTS TYPES DE CRÈCHES

Si vous préférez que votre enfant soit gardé en collectivité, vous aurez le choix entre différents types de structures. Demandez à la mairie de vous donner une liste de celles qui existent près de chez vous et n'oubliez pas d'y inscrire votre bébé dès le 6e mois de grossesse. Cette pré-inscription est nécessaire car les places sont comptées.
L'avantage de ce système de garde réside avant tout dans le coût modéré (au prorata des revenus) pour les parents et dans la socia-

lisation précoce de votre enfant. Il représente également une garantie sécurité en terme de surveillance, d'environnement et de qualité dans les activités qui sont proposées aux enfants.

La halte-garderie ou la crèche permet de rencontrer d'autres enfants, d'appréhender d'autres façons de vivre, et donne à la maman quelques heures de liberté. L'enfant va devoir apprendre à vivre avec les autres, dans un environnement qui est entièrement adapté à ses besoins. Le mobilier, les jeux, les espaces extérieurs sont sécurisés et conviennent aux tout-petits. Les enfants bénéficient aussi d'un contrôle médical régulier d'un pédiatre et de psychologues qui veillent au bon développement de l'enfant et l'aident à devenir autonome. Le personnel est là pour dispenser tous les soins indispensables à l'enfant (change, repas, toilette, etc.).

Le désavantage que présentent la plupart des crèches est la rigidité de leurs horaires. Peu d'établissements restent ouverts au-delà de 18h30. D'autre part, les crèches n'accueillent pas les enfants malades : il vous faudra donc trouver un autre mode de garde en cas de varicelle ou de bronchiolite. Les microbes se transmettent aussi plus facilement en collectivité… Les règles de vie à la crèche, en ce qui concerne les repas, la surveillance ou l'hygiène (vaccinations à jour, par exemple) sont strictes.

• Les crèches collectives

Elles dépendent de la Direction départementale des affaires sanitaires et sociales (DDASS) et de la Protection maternelle et infantile (PMI) et peuvent accueillir, selon les structures, entre 15 et 75 enfants, âgés de 2 mois et demi à 3 ans. Dirigée en général par une puéricultrice qui a quelques années d'expérience professionnelle ou par un docteur en médecine, la crèche collective comprend aussi dans son personnel des éducatrices de jeunes enfants, des auxiliaires de puériculture et des agents de service (pour l'entretien des locaux, la préparation des repas, etc.).

• Les crèches familiales

Elles ont un fonctionnement un peu différent : elles sont composées d'assistantes maternelles qui gardent jusqu'à trois enfants à leur domicile mais sont encadrées et contrôlées par une équipe médico-psychologique. La crèche familiale doit posséder des locaux qui comprennent le bureau de la direction et un local d'accueil pour les enfants. La personne qui dirige ce type de crèche a en charge la rétribution des nourrices mais contrôle également le travail et l'accueil fourni par l'assistante maternelle. Le matériel de puériculture est prêté par la crèche à la nourrice. De temps en temps, des rencontres sont organisées entre les différents enfants : une éducatrice de jeunes enfants propose des activités éducatives aux tout-petits, dans les locaux même de la crèche.

• Les crèches parentales

Elles fonctionnent sur un mode associatif. Des auxiliaires de puériculture contrôlent les aspects sanitaires et l'éducation des enfants ; elles sont secondées par des parents qui s'occupent des enfants une demi-journée par semaine. Pour être admis, les enfants doivent être déposés au minimum 10 journées par mois et leurs parents doivent participer d'une manière ou d'une autre à la vie et à l'organisation de la crèche. Les horaires et le règlement sont les mêmes que dans les autres types de crèches. Le nombre d'enfants accueillis oscille en général entre 15 et 20.

• Les haltes-garderies

Si vous n'avez besoin que d'une garde ponctuelle, tournez-vous vers les haltes-garderies : leur structure et leur fonctionnement général ressemblent à ceux des crèches collectives. La seule différence est que votre enfant n'y est accueilli que quelques heures, une ou plusieurs demi-journées par semaine. Le personnel, qualifié, propose des activités d'éveil et de socialisation aux tout-petits, adaptées à leur âge.

SAVOIR CONFIER VOTRE BÉBÉ

Par choix ou par obligation, vous allez reprendre votre activité professionnelle. Et bien sûr, pendant votre absence, vous voulez confier votre bébé à des personnes affectueuses et expertes. Petit mode d'emploi de ces premières séparations...

LA PÉRIODE D'ADAPTATION

Avant de confier votre bébé pour la première fois à la crèche, à une assistante maternelle, ou à une halte-garderie, une petite visite s'impose : un premier contact téléphonique pour fixer la date et l'heure vous permettra de faire connaissance.

Quels que soient le mode de garde que vous avez choisi et l'âge de votre bébé au moment ou vous reprenez votre activité professionnelle, il est indispensable de prévoir une « période d'adaptation », aussi importante pour vous que pour votre bébé. Une relation de confiance s'instaurera ainsi entre votre enfant, les personnes qui s'en occuperont et vous-même.

Augmentez petit à petit le temps passé à la crèche ou chez la nounou pour que la séparation ne paraisse pas trop brutale à votre bébé. Si vous confiez votre enfant à une assistante maternelle, vous devrez également effectuer un travail de familiarisation. Vous lui rendrez visite plusieurs fois, accompagnée de votre enfant, afin de faire connaissance et de familiariser votre bébé avec les lieux. À chaque fois, vous augmenterez le temps de la visite. En voyant que vous accordez toute votre confiance à la personne qui va le garder, votre enfant aura beaucoup plus de facilité à lui accorder la sienne.

POUR UN DÉPART EN TOUTE SÉRÉNITÉ

Quand votre enfant est en confiance, quittez les lieux sans surtout le faire à son insu ; il n'y a rien de plus angoissant pour un enfant que de constater que sa mère s'est tout à coup « évaporée » ! Si vous agissez de la sorte, il aura du mal à vous faire à nouveau confiance et vous aurez des pleurs et des angoisses à chaque séparation. Même s'il pleure un peu quand il vous voit partir, il se calmera rapidement grâce à la vigilance de l'équipe éducative.

RÉCUPÉRER VOTRE ENFANT

Dans certains cas, votre bébé peut pleurer quand vous revenez ; surtout, ne le prenez pas mal : c'est un mini choc émotionnel, votre enfant est sensible et il est heureux et bouleversé de vous retrouver ! Prenez donc quelques instants pour vous retrouver calmement tous les deux ; votre enfant apprécierait moyennement que vous le précipitiez dans la poussette avant de rouler à toute allure vers la maison. Même si vous êtes pressée, il est indispensable de prendre le temps de dialoguer avec la personne qui a vu votre enfant toute la journée, afin de vous informer mutuellement des éventuels changements, évolutions ou petits soucis qui ponctuent la vie de votre bébé.

LE DÉVELOPPEMENT DE VOTRE BÉBÉ

VOTRE ENFANT VIENT JUSTE DE NAÎTRE : VOUS AVEZ BESOIN DE TEMPS POUR FAIRE CONNAIS-
SANCE AVEC LUI. IL VOUS PARAÎT FRAGILE, SANS DÉFENSES. ET POURTANT, IL SAIT DÉJÀ FAIRE
BEAUCOUP DE CHOSES ! IL VA GRANDIR ET ÉVOLUER À UNE VITESSE INCROYABLE, ENREGISTRER
UNE QUANTITÉ DE CHOSES ET DÉVELOPPER DES COMPÉTENCES DIVERSES AU COURS DES MOIS QUI
VONT SUIVRE.

À LA NAISSANCE...

Votre bébé possède déjà certains réflexes innés qui seront testés par le médecin à la naissance ; ce sont des réflexes dits « archaïques », liés à la survie de l'espèce : le réflexe de succion (qui lui permet de téter), le réflexe de marche (si vous tenez votre enfant debout au-dessus d'une surface plane, il va bouger les pieds et tenter de faire quelques pas), le réflexe de préhension (qui le fait agripper tout objet que vous placerez entre ses doigts), le réflexe de Moro (un bébé effrayé ou brusqué déploie ses bras, doigts écartés, puis les replie en les croisant sur sa poitrine et en pleurant, poings serrés), le réflexe d'apnée, et enfin le réflexe des points cardinaux (le bébé se tourne du côté où on le stimule, par effleurement par exemple).

Ses sens sont aussi bien développés et prêts à fonctionner : le nouveau-né vous voit, plutôt bien s'il est à 20 ou 25 cm et encore assez flou si vous êtes plus loin. Même s'il distingue mal les couleurs et les contours, il aime suivre des yeux ce qui se passe autour de lui. En revanche, il craint les lumières trop vives.

Votre bébé a aussi l'ouïe très fine : il entendait déjà votre voix et celle de son père quand il était dans votre ventre et, après sa naissance, il continue de se tourner plus volontiers vers les voix qu'il connaît déjà. En revanche, il pleurera facilement à la suite de bruits violents. Sachez que les bruits sourds calment certains nouveau-nés.

En ce qui concerne le goût, il semblerait que les bébés aient une attirance naturelle pour le doux, le sucré. Leur goût est influencé par ce que vous avez mangé pendant votre grossesse : l'enfant se sera ainsi habitué aux saveurs de base (salé, sucré, amer, acide).

Enfin, sachez que votre tout-petit reconnaîtra très vite votre odeur. C'est une bonne manière pour un bébé de différencier sa mère des autres femmes. Un tissu imprégné de votre parfum peut donc le calmer dans certaines circonstances. Il sait aussi reconnaître l'odeur de votre lait et se guide de cette manière pour aller vers votre sein. Il se détourne spontanément des odeurs déplaisantes.

Son sens du toucher est également très développé : votre bébé apprécie d'être pris dans les bras, caressé, câliné. Cela lui permet de se détendre.

Un nouveau-né est aussi sensible à la douleur, contrairement à ce qu'on a pu penser pendant longtemps.

DE 0 À 6 MOIS

La phase où le bébé se développe le plus rapidement est celle des trois premiers mois : votre bébé prend du poids, grandit et fait de nombreuses acquisitions.

Dès les premiers jours, il commence à accor-

> **Attention !**

Les indications que nous vous donnons ici restent des repères : chaque enfant évolue à son rythme et va acquérir plus ou moins rapidement certaines compétences.

cher le regard. S'il tient bien sa tête vers 3 mois, vous devez continuer à bien la soutenir lorsque vous le prenez dans les bras; il se fatigue encore assez vite. Entre 2 et 4 mois, l'enfant allongé sur le ventre va pouvoir s'appuyer sur les avant-bras et soulever sa tête en la tenant ainsi pendant un moment plus ou moins long.

Vers 2 mois (parfois même avant), votre bébé fait de « vrais » sourires-réponses et commence à « gazouiller ».

Il apprend à partir du 4e mois à se retourner sur lui-même : redoublez donc de vigilance lorsque vous le posez sur la table à langer. Votre bébé devient aussi plus observateur : il est capable de reconnaître un objet ou un visage familier.

Vers 5-6 mois, votre bébé commence à savoir tenir assis : si vous le calez contre des coussins, il saura rester dans cette position, sans toutefois arriver à se relever s'il tombe. Sa tête tient droite, sans aide. Il comprend que ses mains peuvent lui permettre d'attraper des choses et en profite… pour tout mettre dans sa bouche ! Vous pouvez commencer à l'installer dans sa chaise haute pour le faire manger.

DE 6 MOIS À 1 AN

En 6 mois, la dextérité de votre bébé s'est considérablement développée et dans la période qui va suivre, votre enfant va même commencer à se déplacer. Entre 6 et 9 mois, le bébé parvient d'abord à passer non seulement du ventre sur le dos, mais aussi du dos sur le ventre, en s'aidant de ses épaules et de ses jambes. Il arrive aussi à tenir assis sans basculer et sans l'appui des mains, même si cette position est fatigante et qu'il ne sait pas la prendre sans aide de votre part. Si vous tenez votre enfant sous les bras, debout, il va repousser le sol de ses pieds en raidis-

sant les jambes pour essayer de se tenir droit. Certains enfants – même si cela est rare – commencent à ramper en prenant appui sur leurs avant-bras (ou du moins à se propulser sur le sol) dès le 6e mois.

C'est plutôt vers 8-9 mois que le tout-petit peut arriver à se déplacer vraiment, assis ou à quatre pattes, selon les préférences de chacun. Il aime aussi se tenir debout et tente de se hisser en prenant appui sur le bord de son lit, du canapé ou de son parc. Le bébé de 8 mois maîtrise mieux ses mains et parvient à passer un jouet d'une main à l'autre, sans le faire tomber. Il attrape désormais les objets entre la base de l'index et du pouce, ne se servant plus uniquement de sa paume pour agripper. Il exerce ses sens sur tout ce qu'il trouve, en tâtant, en tapant pour faire du bruit ou en observant ce qui se passe autour de lui. Sur le plan du langage, il associe des syllabes – c'est l'époque des « tatata dada »…– et vous tient de grands discours sans signification véritable mais aux intonations expressives.

À partir de 10 mois, l'enfant peut commencer à marcher, sans forcement passer par l'étape du quatre-pattes. Par hasard ou par défi, l'enfant qui sait désormais se mettre debout va tenter ses premiers pas. La plupart des enfants attendent toutefois 12 ou 14 mois pour commencer à marcher. Quoi qu'il en soit, votre bébé saura se tenir assis sans aide et sans fatigue vers 9 mois déjà. Il sait aussi s'asseoir seul sans problème. Il développe petit à petit sa musculature. La motricité de ses mains se développe et lui permet de glisser des objets dans un trou, de les ranger dans un pot ou de jeter ses jouets par terre pour voir où ils atterrissent. Votre enfant commence également à vouloir saisir sa petite cuillère pour manger seul. Il se met à répéter certains mots courts.

LA CROISSANCE DE VOTRE BÉBÉ

EN SURVEILLANT SES PROGRÈS DURANT SES PREMIERS MOIS, VOUS SAUREZ À QUEL RYTHME VOTRE BÉBÉ GRANDIT ET SE DÉVELOPPE.

SA CROISSANCE

La surveillance du périmètre crânien, du poids et de la taille fournit une bonne indication de l'état de santé et du bien-être de votre bébé durant sa première année. Même si la notion de « norme » pour un âge donné est assez imprécise, il existe une « moyenne » à laquelle se conforment la plupart des bébés.

Votre bébé sera pesé et mesuré lors de chacune de vos visites chez le médecin, et les chiffres seront indiqués sur les diagrammes des courbes établies pour des enfants de même âge et sexe qui se trouvent dans les dernières pages du carnet de santé (remis à la maternité). Cela vous permettra de savoir s'il est dans la moyenne, ou, tout du moins, dans un intervalle de normalité (90 % de la population du même âge, représenté par les zones en bleu dans les schémas de la page ci-contre).

Certains parents se préoccupent à tort de cette moyenne type. N'oubliez pas que votre enfant se développe à son propre rythme. Le plus important est que sa croissance soit régulière.

COMMENT SONT PRISES LES MESURES

• **Le périmètre crânien**

Le cerveau – et, par conséquent, la tête – continue de grandir beaucoup pendant la première année. Le pédiatre mesurera le périmètre crânien en plaçant le centimètre juste au-dessus de ses sourcils et de ses oreilles et, à l'arrière, là où le crâne descend vers le cou. (Moyenne de la croissance du périmètre crânien la première année : 12 cm.)

• **Le poids**

Votre bébé sera pesé complètement nu sur un pèse-bébé traditionnel ou électronique. (En moyenne, un bébé triple son poids de naissance pendant sa première année).

• **La taille**

Votre bébé sera mesuré allongé à l'aide d'une toise spéciale. (Moyenne de la croissance la première année : 25 cm).

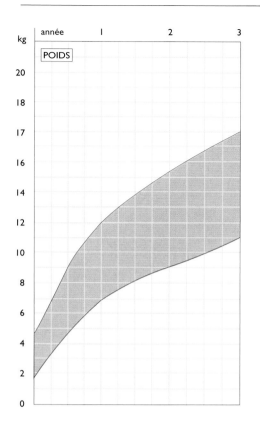

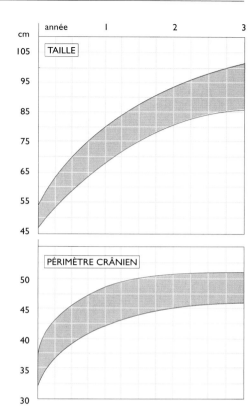

CALENDRIER DES VACCINATIONS

LA VACCINATION EST UNE MESURE IMPORTANTE POUR PRÉSERVER LA SANTÉ PRÉSENTE ET FUTURE DE VOTRE BÉBÉ. SON IMMUNITÉ (SA CAPACITÉ À LUTTER CONTRE DES MALADIES) EST RENFORCÉE GRÂCE À DIVERS VACCINS QUI PROTÈGENT DE GRAVES MALADIES INFECTIEUSES.

L'IMMUNITÉ NATURELLE

Votre bébé vient au monde avec un certain degré d'immunité naturelle, acquise avant sa naissance. Cette immunité est renforcée si vous l'allaitez, le lait maternel étant riche en anticorps, tout particulièrement pendant les premiers jours. Néanmoins, cette immunité passive, héritée, n'est que temporaire. Elle s'atténue peu à peu durant la première année, ce qui rend le bébé vulnérable à toutes sortes de maladies dont la vaccination permet de le protéger.

En règle générale, les vaccins sont très efficaces et sans danger. Les bénéfices de l'immunité acquise dépassent de loin tout risque potentiel. Les effets secondaires courants sont, en fonction du vaccin, une fièvre légère ou une éruption cutanée sans gravité. Les effets secondaires plus sérieux sont rares : si d'autres symptômes apparaissent ou si la fièvre est élevée, consultez votre pédiatre.

LE CARNET DE SANTÉ

Vous trouverez dans le carnet de santé de votre enfant – que l'on vous aura remis à la maternité – le récapitulatif des vaccinations obligatoires et facultatives, ainsi que plusieurs pages où seront notées toutes les vaccinations effectuées. Cela vous permettra de savoir à quelles dates sont prévues les prochaines vaccinations et sera indispensable pour inscrire votre bébé à la crèche puis à l'école. De même, si vous voyagez à l'étranger, vous devrez emporter avec vous son carnet de santé afin de prouver qu'il est bien vacciné.

> En cas de retard dans le calendrier

Il n'est pas nécessaire de recommencer tout le programme des vaccinations. Il suffit de reprendre le calendrier au stade où il a été interrompu et de compléter la vaccination en réalisant le nombre d'injections requises en fonction de l'âge. Délai requis entre chaque injection : 4 semaines minimum.

> Et si l'enfant voyage ?

En plus des vaccinations classiques qui doivent être à jour, vous devrez penser à protéger votre enfant des hépatites A (deux injections avant le départ), de la typhoïde (2 semaines avant le départ puis un rappel 3 ans après), de la méningite et de la fièvre jaune si l'enfant part en Afrique (une seule injection pour chacun des vaccins).

À PARTIR DE 2 MOIS

• Diphtérie, tétanos, coqueluche, polio, haemophilus influenzae b, Hépatite B : première injection.

À PARTIR DE 3 MOIS

• Diphtérie, tétanos, coqueluche, polio, haemophilus influenzae b, hépatite B : deuxième injection.

À PARTIR DE 4 MOIS

• Diphtérie, tétanos, coqueluche, polio, haemophilus influenzae b : troisième injection.

À PARTIR DE 12 MOIS

• Rougeole, oreillons, rubéole (ROR) : injection combinée (2e injection avant 6 ans).

ENTRE 16 ET 18 MOIS

• Diphtérie, tétanos, coqueluche, polio, haemophilus influenzae b : une injection combinée de rappel (rappel DTP à 6-7 ans, rappel DTCP à 11-13 ans).

AVANT 2 ANS

• Le vaccin antipneumococcique (S pneumoniae), non obligatoire, est conseillé.

LES VACCINS FACULTATIFS

• Certains parents se demandent s'ils doivent faire vacciner leur enfant contre la grippe : sachez que les médecins ne le préconisent pas particulièrement. Il est plutôt réservé aux enfants fragilisés par certaines pathologies (insuffisance rénale, diabète, mucoviscidose, etc.) ou aux nourrissons vivants en collectivité.

• En ce qui concerne l'hépatite A, le vaccin est cher et non remboursé. Il est conseillé de le faire seulement en cas de besoin, c'est-à-dire si l'enfant voyage dans un pays où il existe un risque sanitaire (cf. encadré p. ci-contre).

LES GESTES D'URGENCE

MÊME EN RESTANT TRÈS VIGILANT, PERSONNE N'EST À L'ABRI D'UN ACCIDENT. IL EST IMPORTANT DE POUVOIR ACCOMPLIR LES PREMIERS GESTES DE SECOURS EN ATTENDANT L'ARRIVÉE DU SAMU.

BRÛLURES

Un bain trop chaud ou une porte de four mal isolée sont les premiers facteurs de grandes brûlures chez les tout-petits. Si la lésion est superficielle et peu étendue, contentez-vous de faire couler de l'eau froide (mais pas glacée) dessus, puis appliquer de la Biaffine®. Si la brûlure est plus importante, commencez par déshabiller l'enfant, sauf si ses vêtements sont collés ou fondus (ce qui peut être le cas s'ils contiennent de matuières synthétiques). Immergez la lésion dans de l'eau froide ou aspergez-la sans frotter. Appelez les secours sans tarder.

EMPOISONNEMENT

Il est très facile pour un enfant de s'intoxiquer, un tout-petit ayant pour seule idée de tout porter à la bouche dès qu'il sait se déplacer. La première précaution est de mettre sous clé tous les produits dangereux tels que les médicaments ou produits d'entretien.
Si toutefois vous retrouvez votre enfant en train de « téter » la bouteille de shampoing ou de mâchouiller une feuille de plante verte (souvent toxique), appelez immédiatement le centre antipoison le plus proche (pensez à afficher son numéro d'appel à proximité de votre téléphone). Donnez alors l'âge de l'enfant, son poids, le type de produit absorbé et la quantité (approximativement), ainsi que les symptômes observés. Ne tentez jamais rien sans l'avis de ce centre, ne lui donnez pas de lait, ne le faites pas vomir : la conduite à adopter varie selon les produits avalés. Il ne faut, par exemple, jamais faire boire un enfant qui a ingurgité du shampoing ou du liquide vaisselle.

ÉTOUFFEMENT

• **Un oreiller, un canapé trop profond ou une couverture** peuvent empêcher un enfant trop jeune et incapable de se dégager seul de respirer convenablement. Dans ce cas, l'enfant devient pâle, violacé et il suffoque. Vous devez l'aider à retrouver une respiration normale en le prenant dans vos bras et en penchant sa tête en arrière, légèrement, pour faciliter l'entrée de l'air dans ses poumons. S'il ne respire plus, appelez les secours de toute urgence et tentez de le faire respirer en pratiquant le bouche-à-bouche.

• **Un bonbon, une petite bille, une cacahuète, ou encore un capuchon de stylo** sont également autant d'objets attirants que votre enfant risque de porter à sa bouche ou de fourrer dans son nez. Au lieu de recracher l'objet, il peut parfois l'avaler de travers : il devient tout rouge et se met à tousser. Si l'objet est visible quand l'enfant ouvre la bouche, essayez de le retirer avec deux doigts, sauf si vous risquez de l'enfoncer davantage. Essayez de faire expulser à l'enfant ce qui le gêne : installez-le sur le ventre, son buste allongé sur votre avant-bras et les jambes à califourchon sur votre coude. Maintenez ses épaules avec vos doigts. De l'autre main, tapez-lui plusieurs fois dans le dos, entre les omoplates en prenant garde à ses côtes. Si cela ne suffit pas, pratiquez la manœuvre de Heimlich : asseyez votre bébé sur vos genoux, le dos contre vous, et faites pression avec vos deux poings sur son estomac, vers le haut et vers l'arrière.
Même si l'enfant recrache l'objet, emmenez-le chez le médecin pour contrôler l'absence de lésions.

Si l'objet est coincé dans le larynx, c'est plus grave : gardez votre calme et appelez les secours.

CHUTE

Il est très fréquent que les bébés soient hospitalisés à cause d'une chute de la table à langer ou d'un couffin dont l'anse s'est détachée. Il est donc important que les parents soient informés des dangers que leur enfant court dans ce cas.

Pour un bébé qui sait se déplacer, les risques sont divers : chute dans l'escalier, d'une fenêtre, contre un radiateur ou contre un coin de porte. Si l'enfant s'est blessé en tombant et qu'il saigne, comprimez la plaie pour bloquer le saignement et désinfectez-la. Si la plaie est très importante, emmenez-le à l'hôpital pour des points de suture. S'il ne saigne pas, vérifiez avec soin son comportement dans les heures et les jours qui suivent. Une radio du crâne sera peut-être nécessaire pour vérifier qu'il n'a aucune lésion. Juste après sa chute, l'enfant risque d'être pâle et de vomir un peu. Ceci ne doit pas vous inquiéter, mai contactez votre médecin. En revanche, si votre enfant continue de vomir de façon répétée, plusieurs jours après l'accident, il devra être mis sous surveillance médicale.

En cas de chute importante, l'enfant peut perdre connaissance. S'il ne se réveille pas, appelez immédiatement les secours. S'il reprend connaissance tout de suite après, vous devrez rester vigilant pendant toute la nuit qui suit en réveillant votre enfant toutes les trois heures.

ÉLECTROCUTION

Les tout-petits ont une fâcheuse tendance à aller mettre les doigts dans les prises : c'est pourquoi vous devez impérativement installer des prises de sécurité dans toute la maison. Évitez également de laisser traîner des fils électriques, sur lesquels il serait bien tentant de tirer... Une décharge électrique légère provoque une sensation de brûlure ou un picotement, tandis qu'un choc plus important peut faire perdre conscience à l'enfant et stopper sa respiration. Si cela arrive à votre bébé, coupez immédiatement le courant. Si vous ne pouvez pas, dégagez l'enfant de la source électrique à l'aide d'un matériau non conducteur comme un manche à balai, en bois ou en plastique, et appelez tout de suite le SAMU, surtout si votre enfant a cessé de respirer.

TABLE DES MATIÈRES

AUX ÉDITIONS MARABOUT

POUR LES FUTURES MAMANS

Sophie Braimbridge et Jenny Copeland, *Alimentation santé : la femme enceinte*, coll. « Marabout Pratique ».

Marie-Claude Delahaye, *Guide pratique de la femme enceinte*, coll. « Marabout Pratique ».

Marie-Claude Delahaye, *Le guide Marabout de la future maman*, coll. « Le livre de bord ».

Dr Pierre Lhuillier et Christilla Pellé-Douël, *Être enceinte et travailler*, coll. « Marabout Pratique ».

Dr Claudette Rocher, *Homéopathie : la femme enceinte*, coll. « Marabout Pratique ».

Rosalind Widdowson, *Yoga pour femme enceinte*, coll. « Marabout Pratique ».

POUR LES JEUNES MAMANS

Sally Lewis, *Retrouver sa silhouette après une grossesse*, coll. « Marabout Pratique ».

PETITE ENFANCE

Dr Sylvie Angel, *Bien choisir le mode de garde de votre enfant*, coll. « Marabout Pratique ».

Dr Edwige Antier, *Itinéraire d'un nouveau-né*, coll. « Poche Pratique ».

Anne Bacus, *Bébé pleure, que faire ?*, coll. « Poche Pratique ».

Anne Bacus, *Questions au psy spécial petits*, coll. « Marabout Pratique ».

T. Berry Brazelton, *Ce dont chaque enfant a besoin*, coll. « Poche Pratique ».

Dr Thomas Gordon, *Parents efficaces au quotidien*, coll. « Poche Pratique ».

Dr Philippe Grandsenne, *Bébé, dis-moi qui tu es ?* coll. « Poche Pratique ».

Mikaïl Miucci, *Guide du jeune papa*, coll. « Poche Pratique ».

Christilla Pelle-Douël, *Bébé trucs*, coll. « Poche Pratique ».

Claire Pinson, *Le livre bord de bébé de 1 jour à 1 an*, coll. « Le livre de bord ».

Dr Aletha Solter, *Mon bébé comprend tout*, coll. « Poche Pratique ».

Dr Marc Sznajder, *Écouter et soigner son enfant aujourd'hui*, coll « Essais ».

Blandine Vié et Dr Henri Bouchet, *Premiers repas de bébé*, coll. « Marabout Pratique ».

REMERCIEMENTS À

BÉBÉ CONFORT
MOULIN ROTY
DOUDOU & CIE
JACADI
LA REDOUTE
LES 3 SUISSES
FLY
IKEA
MILTON
MAISON DE FAMILLE
ATLAS
COMBELLE

Merci aux agences CUTE, SUCCESS et
MOINS DE 20 ANS pour les bébés
Emma, Garance, Yohan et Zoé.

ISBN : 2501-04072-4
Codification : 4006011/01
Dépôt légal : 41448 - mai 2004

Imprimé en Italie par Rotolito Lombarda